JN254030

見てわかる

がん薬物療法における曝露対策 第2版

監修
一般社団法人 日本がん看護学会

編集
平井和恵
東京医科大学医学部看護学科教授

飯野京子
国立看護大学校教授

神田清子
高崎健康福祉大学保健医療学部看護学科教授

医学書院

見てわかる　がん薬物療法における曝露対策
発　行　2016年3月1日　第1版第1刷
　　　　2020年3月1日　第2版第1刷©
監　修　一般社団法人 日本がん看護学会
編　集　平井和恵（ひらいかずえ）・飯野京子（いいのけいこ）・神田清子（かんだきよこ）
発行者　株式会社　医学書院
　　　　代表取締役　金原　俊
　　　　〒113-8719　東京都文京区本郷1-28-23
　　　　電話　03-3817-5600（社内案内）
印刷・製本　三美印刷

ISBN978-4-260-04181-2

執筆者一覧

監修

- 一般社団法人　日本がん看護学会

編集

- 平井和恵　東京医科大学医学部看護学科教授
- 飯野京子　国立看護大学校教授
- 神田清子　高崎健康福祉大学保健医療学部看護学科教授

執筆（執筆順）

- 神田清子　高崎健康福祉大学保健医療学部看護学科教授
- 野村久祥　前 国立がん研究センター東病院薬剤部，日本医療薬学会認定がん専門薬剤師
- 中山季昭　埼玉県立小児医療センター薬剤部　副技師長，日本医療薬学会認定がん専門薬剤師
- 平井和恵　東京医科大学医学部看護学科教授
- 飯野京子　国立看護大学校教授
- 市川智里　国立がん研究センター東病院看護部　看護師長，がん看護専門看護師

第２版 監修の序

がん医療は革新的な発展をとげています。ことにがん薬物療法は，がんゲノム医療の発展により病態解明，新たな診断システムの開発，創薬が進み，高い治療効果をあげています。それと相まって，抗がん薬の種類や用法も急激に増加し，入院・外来・在宅など多様なセッティングで実施されるようになりました。したがって，抗がん薬の毒性に対する安全な取扱い（セーフハンドリング）については，医療従事者はもとより患者自身，あるいは介護や支援にあたる人々がHazardous Drugs（以下，HD）の取り扱いの全過程（調剤から投薬，廃棄，排泄物の取り扱いなど）における曝露対策に必要な考え方を理解し，実際にセーフハンドリングできる実践力を身に着けなければなりません。

安全対策は，その行為が習慣化できるよう行動形成のレベルを高めなければなりません。本書は，『見てわかる　がん薬物療法における曝露対策　第２版』という題名のとおり，ビジュアル的要素（写真，イラスト，動画など）を用いてHDに対する具体的な曝露対策を解説しています。行うべき対策についてビジュアルでリアルにとらえることで，学習経験が深まるとともに，第１章で解説されている「曝露対策の基礎知識」を咀嚼することにつながります。

看護師が行うべき曝露対策については，抗がん薬の調製・投与，投与後の体液やリネン類の取り扱い，スピル時・曝露時の対応などを看護業務の流れに沿って解説してあります。一連の行動が示されていることで，自身の臨床現場における状況と結び付けながら現実的に学習を進めることができます。

さらに第２版では，開発が進む新しいCSTD（閉鎖式薬物移送システム）やPPE（個人防護具）について，選択肢やその特徴・扱い方などを具体的に解説しています。また，活用が広がるCSTDについては，局所投与の方法が新たに加えられています。

がん薬物療法の主人公は患者です。療養の場は広がっているため，患者や家族，介護に携わる人々がHDのセーフハンドリングを行っていくことが求められています。本書では，患者・家族向けパンフレットの具体例を示し，看護師が，これらの人々の曝露対策に対するセルフケア能力を高めるための教育的アプローチに自信をもって臨めるようにしています。

本書が，「がん薬物療法における曝露対策」の均てん化の一助になることを期待しています。

2020年２月

一般社団法人日本がん看護学会理事長　小松浩子

続刊にあたって(初版 監修の序)

《がん看護実践ガイド》シリーズは，日本がん看護学会が学会事業の1つとして位置づけ，理事を中心メンバーとする企画編集委員会のもとに発刊するものです。

このシリーズを発刊する目的は，本学会の使命でもある「がん看護に関する研究，教育及び実践の発展と向上に努め，もって人々の健康と福祉に貢献すること」をめざし，看護専門職のがん看護実践の向上に資するテキストブックを提供することにあります。

がん医療は高度化・複雑化が加速しています。新たな治療法開発は治癒・延命の可能性を拡げると同時に，多彩な副作用対策の必要性をも増しています。そのため，がん患者は，多様で複雑な選択肢を自身で決め，治療を継続しつつ，多彩な副作用対策や再発・二次がん予防に必要な自己管理に長期間取り組まなければなりません。

がん看護の目的は，患者ががんの診断を受けてからがんとともに生き続けていく全過程を，その人にとって意味のある生き方や日常の充実した生活につながるように支えていくことにあります。近年，がん治療が外来通院や短期入院治療に移行していくなかで，安全・安心が保証された治療環境を整え，患者の自己管理への主体的な取り組みを促進するケアが求められています。また，がん患者が遺伝子診断・検査に基づく個別化したがん治療に対する最新の知見を理解し，自身の価値観や意向を反映した，納得のいく意思決定ができるように支援していくことも重要な役割となっています。さらには，苦痛や苦悩を和らげる緩和ケアを，がんと診断されたときから，いつでも，どこでも受けられるように，多様なリソースの動員や専門職者間の連携・協働により促進していかなければなりません。

がん看護に対するこのような責務を果たすために，本シリーズでは，治療別や治療過程に沿ったこれまでのがん看護の枠を超えて，臨床実践で優先して取り組むべき課題を取り上げ，その課題に対する看護実践を系統的かつ効果的な実践アプローチとしてまとめることをめざしました。

このたび，本シリーズの続刊として，『見てわかる がん薬物療法における曝露対策』をまとめました。がん薬物療法に用いられる抗がん薬の多くは，看護師にとって，発がん性・催奇形性・生殖毒性などを有し，諸外国ではHazardous Drugs(以下，HD)として特別な取り扱いが求められています。日本でも，2014年にHDの安全な取り扱いについて，厚生労働省より通達がなされ，2015年には日本がん看護学会・日本臨床腫瘍学会・日本臨床腫瘍薬学会の3学会合同ガイドラインが刊行されました。今，ようやく曝露対策の重要性および必要性の認識が高まりつつあります。

本書は，“ガイドラインはわかった，では実践でどうすればよいのか？”に応える1冊です。曝露対策に必要なシステムや装置の特徴をはじめ，具体的な曝露対策に求められる手技や取り扱い，ケア方法などが，目で見てわかるように写真やイラストを多く用いて具体的に解説されています。さらに，がん薬物療法を受ける患者・家族の曝露対策についても言及しており，施設に限らず広く地域医療においても役立つものとなっています。

《がん看護実践ガイド》シリーズは，読者とともに作り上げていくべきものです。シリーズとして取り上げるべき実践課題，本書を実践に活用した成果や課題など，忌憚のない意見をお聞かせいただけるよう願っています。

最後に，日本がん看護学会監修による《がん看護実践ガイド》シリーズを医学書院のご協力のもとに発刊できますことを心より感謝申し上げます。本学会では，医学書院のご協力を得て，これまでに『がん看護コアカリキュラム』(2007年)，『がん化学療法・バイオセラピー看護実践ガイドライン』(2009年)，『がん看護PEPリソース—患者アウトカムを高めるケアのエビデンス』(2013年)の3冊を学会翻訳の書籍として発刊して参りました。がん看護に対する重要性をご理解賜り，がん医療の発展にともに寄与いただいておりますことに重ねて感謝申し上げます。

2016年1月

一般社団法人日本がん看護学会理事長・企画編集委員会委員長　小松浩子

第２版の序

本書の初版『がん看護実践ガイド　見てわかる がん薬物療法における曝露対策』は，『がん薬物療法における曝露対策合同ガイドライン 2015 年版』発刊の翌春，「実際どうすればよいのか」「どういう選択肢があるのか」に具体的に応える参考書として発刊されました。上記２冊の発刊以降，国内では，HD（Hazardous Drugs）やヒエラルキーコントロールという用語が広く認識されるようになり，がん薬物療法を行う多くの施設では，自施設の曝露対策の現状確認，指針・マニュアルの見直し等が行われました。また，2016 年度の診療報酬改定において，すべての抗がん薬無菌調製への閉鎖式接続器具使用に 180 点が加算されたことも後押しとなり，調製だけではなく投与においても CSTD（閉鎖式薬物移送システム）の導入が検討され，実際に導入した施設も格段に増えました。本書の初版は，各施設におけるこれらの取り組みにおおいに役立ったとの声をいただいており，編者一同心よりうれしく思っております。

そして，ガイドライン 2015 年版が『がん薬物療法における職業性曝露対策ガイドライン 2019 年版』として改訂されたことをふまえ，本書も改訂を行いました。「第１章　曝露対策の基礎知識」については全面的に改訂し，曝露対策の理解のうえで重要な薬物動態の知識，よく見る単位（ピコ，ナノなど）や毒性試験の意味など，全般にガイドラインの理解を助ける知識が拡充されています。また，「第２章　看護師が行うべき曝露対策」においては，特に局所投与に関する内容が強化されました。これまで投与時の対策は静脈内投与を中心に進められてきましたが，局所投与についても同様に対策をとる必要があり，投与経路と具体的な方法について紹介しています。全般に最新の情報に基づく内容になっており，2020 年２月からの「神経麻酔分野における誤接続防止のための新規格製品への切替え」に対応した，髄腔内注射時の新たな具体策についても，いち早く紹介しています。さらに初版同様，施設における実践・教育の工夫や患者向けパンフレットなど，実際の取り組みをそのまま，または参考に紹介しています。本書を，職種を超えてともに自施設の現状を見直し，具体的な改善策の検討や普及に役立てていただけるものと確信しています。

日本は，少し前まで HD 職業性曝露対策に関して，先進国としては大きな後れをとっていました。現在も国家的な施策がなく，自施設での自主的・組織的な取り組みに委ねられているという大きな課題がある中，近年飛躍的なスピードで医療従事者の認識が高まり，取り組みが普及しています。読者の皆さまがそれぞれの立場で本書を活用していただくことで，HD 曝露対策が，感染対策と同様「当たり前のこと」として定着していくことにつながると信じています。是非ご活用いただき，忌憚のないご意見をお待ちしております。

2020 年 2 月

編者を代表して　平井和恵

初版の序

「抗がん薬は，がん細胞だけではなく正常な細胞にも影響を及ぼす」。それはがん医療に携わる医療従事者であれば誰もが理解していることですが，主には「投与を受ける患者にとって」という視点での理解でした。抗がん薬が，それを取り扱う医療従事者の健康にも影響を及ぼす可能性があるとわが国で認識されるようになって20余年が経ちます。しかしながら，わが国には抗がん薬の職業性曝露対策に関する法的根拠も全体を網羅する明確な指針もない中，どの職種における基礎教育・卒後教育においても，各施設における実際の対策においても，曝露への対応はさまざまという状況が続いてきました。

このような中，2014年，厚生労働省から『発がん性等を有する化学物質を含有する抗がん剤等に対するばく露防止対策について』の通知が出され，2015年，日本がん看護学会・日本臨床腫瘍学会・日本臨床腫瘍薬学会から『がん薬物療法における曝露対策合同ガイドライン2015年版』が発刊されたことが後ろ盾となり，抗がん薬による職業性曝露対策は現実的な問題として大きな転換点を迎えています。多くの看護師から「ガイドラインを読んで，曝露対策の必要性があらためて理解できた」，「組織に対して曝露対策の必要性を伝えやすくなった」という声が寄せられています。そして，次のステージとして「現実的にどう改善していこう」，「どんな選択肢があるのだろう」という声も聞かれるようになりました。

本書は，看護師の「実際にどうすればよいのか具体的に知りたい」に応えることを目指した内容となっています。そのため，写真やイラストを多用するとともに，PPE（個人防護具）の着脱や抗がん薬のスピル（こぼれ）処理など基本的な技術については動画を用いることで視覚的にわかりやすいものとしました。また，いち早く自施設での取り組みを進めてきたがん化学療法看護認定看護師の方々のお話をうかがい，これから曝露対策を進めるうえで参考になる実践現場での工夫や，経験談の紹介などを盛り込みました。さらに，CSTD（閉鎖式薬物移送システム）やPPEをはじめとする曝露対策に必要な製品については「選択肢とその特徴を知りたい」というニーズに応えるべく，いまわが国で選択可能な最新の情報を紹介しています。

まずは，本書が職種を超えてともに自施設の現状を見直し，具体的な改善策を検討していくきっかけとなることを強く願います。そして本書を通して「展望をもって進めていくこと」と「明日から実践可能なこと」が明確になり，できることから1つずつ実現していくことに役立てて頂けるものと確信しています。

初版の序

編者らは抗がん薬の職業性曝露に関する知識さえもない時代，何の防護もなく抗がん薬の調製や投与に携わってきた看護師であり，すべての医療従事者が安心して生き生きと働ける環境づくりに本書を役立てて頂けるならば，この上なく幸いに思います。

どうぞ多くの皆さまにご活用いただき，忌憚のないご意見を賜りますようお願い申し上げます。

2016年2月

編者を代表して　平井和恵

目次

目次

COLUMN

経験談紹介

デザイン hotz design inc.
イラストレーション 西田ヒロコ
撮影 高原マサキ

Web 動画の使い方

本書の図に関連する動画を PC，スマートフォン（iOS，Android）でご覧いただけます（フィーチャーフォンには対応しておりません）。下記 QR コードまたは URL からアクセスしてください。

http://www.igaku-shoin.co.jp/prd/04181/

ログインのためのユーザー名：4181　**パスワード：**rukab

- 動画を再生する際の通信料（パケット通信料）はお客様のご負担となります。パケット定額サービスなどにご加入されていない場合，多額のパケット通信料が請求されるおそれがありますのでご注意ください。
- 配信される動画はお客さまへの予告なしに変更・修正が行われることがあります。また，予告なしに配信を停止することもありますのでご了承ください。
- 動画は，ユーザーサポートの対象外とさせていただいております。ご了承ください。

動画参照ページ一覧

序　章

看護師にとっての
曝露対策の重要性
および必要性

A 看護師とがん薬物療法における曝露対策

質の高い看護を提供するには，看護師自身が健康に生き生きと働くことができる労働環境が不可欠である。がん看護分野では手術治療，抗がん薬治療，放射線治療，造血幹細胞移植治療の看護，そして緩和ケアや終末期にある患者の看護を展開することが多い。放射線治療における被曝防御策としては，フィルムバッジや線量計などによるモニタリング，そして被曝許可線量も法的に定められ，管理体制は整っている。抗がん薬はHazardous Drugs（HD）として，「発がん性」「催奇形性または他の発生毒性」「生殖毒性」などをもたらすにもかかわらず，日本においては法的な規制は定められていない。一方，米国では，2016年に米国薬局方USP General Chapter〈800〉Hazardous Drugs-Handling in Healthcare Settings[1]（以下，USP〈800〉）が公布された。USP〈800〉は法的拘束力をもち，これにはHDの扱いが網羅され，施設の管理者や職員は遵守が求められる。

今日，抗がん薬は進歩が著しく，分子標的治療薬や免疫チェックポイント阻害薬など新規薬も台頭し，集学治療として広範囲にわたるがんに適用される。そのため，看護師は抗がん薬治療に携わる機会も多い。外来治療室に勤務している看護師は「診療報酬には，すべての抗がん薬無菌調製に閉鎖式接続器具の使用が反映されるなど曝露対策も進んできています。でも，同じ薬なのに投与時にはどうして閉鎖器具が使用できないのですか。曝露の機会は同じなのに」と訴え，「使用したい」と上司に相談すると「高いから，経済的保証がないのでしかたないわよ」と取り合ってもらえず，「矛盾です。楽しいはずの看護行為が憂うつになります」と，職場の曝露対策への不安を語っていた。

曝露は調製時のみではなく，看護師が日常的に行う投与管理，患者の排泄物ケア，個人防護具をはずすときや廃棄処理においても対策が必要であり，環境汚染等も含めた総合的な取り組みが不可欠となる。それぞれの病院や施設では，病院機能評価でも曝露対策が重要視されており対策が整備されつつある。さらに昨今では，訪問看護師や訪問介護者なども安全管理についての認識が深まりつつある。しかし，看護・ケアにかかわる治療直後の排泄物処理，体液の取り扱い関するエビデンスがないという理由から，施設格差は依然として存在している。

曝露対策をめぐり，昨今は大きなうねりが起きている。看護師にとっての曝露対策の重要性および必要性を認識し，恐怖や不安を払拭し，適切に対応することが望まれる。

1 HDの曝露対策に関する国内の動向

1970年代後半からHDの身体への影響についての研究が報告され，国際的には国家レベルや学会レベルでのガイドラインが公表され，取り組みがなされてきている。

わが国においては，薬剤師が調製を行うようになり，その業務を中心とした曝露対策指針が普及してきている。しかし，看護の職場におけるHD曝露対策は遅れ，日本看護協会による2003年の「静脈注射の実施に関する指針」の中で，細胞毒性のある薬剤の安全管理，2004年の「看護の職場における労働安全衛生ガイドライン」に取り上げられているにすぎない。1990年から現在までの曝露対策の動向を表1に紹介する。特にここ数年の大きな動きは，次のとおりである。

- 2014年4月30日「特定非営利活動法人抗がん剤曝露対策協議会」が発足する。本会の目的は，抗がん剤曝露対策の重要性を啓発し，医師，看護師，薬剤師などの医療従事者および抗がん剤使用者家族への曝露対策により安全性を確保することである[2)]。

表1 曝露対策に関する国内の動向

年	動向	
1991年	・「抗悪性腫瘍剤の院内取扱い指針」(日本病院薬剤師会)	⇒薬剤師が調製を中心とした対策として利用
2003年	・「静脈注射の実施に関する指針」(日本看護協会)	⇒細胞毒性のある薬剤の安全管理について紹介
2004年	・「看護の職場における労働安全衛生ガイドライン」(日本看護協会)	⇒看護において初めて抗がん薬の取り扱いについて言及される
2005年	・「抗がん剤調製マニュアル　抗悪性腫瘍剤の院内取扱い指針」(日本病院薬剤師会)	
2008年	・「注射剤・抗がん薬無菌調製ガイドライン」(日本病院薬剤師会)	⇒曝露対策への言及が初めて行われた
2010年	・診療報酬加算「無菌製剤処理料1」の設定100点(閉鎖式接続器具を使用した場合)	
2012年	・診療報酬加算「無菌製剤処理料揮発性の高い薬剤：イホスファミド，シクロホスファミド，ベンダムスチン塩酸塩」の設定150点(閉鎖式接続器具を使用した場合)	
2014年	・診療報酬加算　無菌製剤処理料の施設基準が「病院であること」から「2名以上の常勤の薬剤師がいること」に変更	
	・特定非営利活動法人抗がん剤曝露対策協議会が発足	
	・厚生労働省労働基準局より，「発がん性等を有する化学物質を含有する抗がん剤等に対するばく露防止対策について」(基安化発0529第1号)の通知	
	・日本看護協会は看護職の労働安全衛生の対策として，新たに「抗がん剤に対するばく露防止対策」を追加	

(続く)

	・「抗悪性腫瘍剤の院内取扱い指針　抗がん薬調製マニュアル　第3版」(日本病院薬剤師会)	
	・「抗がん薬安全取り扱いに関する指針の作成に向けた調査・研究」(日本病院薬剤師会)	⇒HDの概念に基づく指針が作成された
2015年	・医療安全全国共同行動として「抗がん剤曝露のない職場環境を実現する」が採択	
	・「がん薬物療法における曝露対策合同ガイドライン 2015年版」(一般社団法人日本がん看護学会，公益社団法人日本臨床腫瘍学会，一般社団法人日本臨床腫瘍薬学会)	⇒看護ケアも含む初めてのガイドライン
	・第13回日本臨床腫瘍学会にて「抗がん薬による職業曝露を低減するための札幌宣言」が採択*	
2016年	・NHOネットワーク共同研究「多施設共同抗がん薬曝露実態調査と医療従事者の安全確保のための『Hazardous Drugs (HD) の安全な取り扱い』の概念構築」実施 (2018年まで)	
	・診療報酬改定　すべての抗がん薬無菌調製への閉鎖式接続器具使用に180点が加算	⇒厚生労働省が曝露対策の重要性を認めたと考える
	・日本看護協会　看護職の労働安全衛生にかかわる情報や対応策として「抗がん薬に対するばく露防止対策」公開	
2017年	・看護学教育モデル・コア・カリキュラムの学修目標に「薬剤の職業性ばく露について説明できる」が明記	⇒日本の看護基礎教育において初めて職業性曝露が扱われる
2018年	・日本看護協会「看護職の健康と安全に配慮した労働安全衛生ガイドライン」改訂	⇒業務上の危険要因の1つとしてHDを明記，曝露対策の情報が強化される
	・NPO法人抗がん剤曝露対策協議会　一般社団法人医療安全全国共同行動のホームページに抗がん薬曝露の支援ツールを作成し公開	
2019年	・「がん薬物療法における職業性曝露対策ガイドライン 2019年版」の発刊 (一般社団法人日本がん看護学会，公益社団法人日本臨床腫瘍学会，一般社団法人日本臨床腫瘍薬学会)	⇒利用対象者を明確にするために「職業性曝露対策」と名前を変更。臨床課題20を取り挙げ，看護に関連する課題も増加

□ は近年の注目すべき大きな動き

*「抗がん薬による職業曝露を低減するための札幌宣言」(表2)

表2 抗がん薬による職業曝露を低減するための札幌宣言

すべての医療従事者の抗がん薬職業曝露は，
各施設での組織全体の取り組みのもと，
ひとりひとりが曝露に対する正しい理解を持ち，
適正な環境下で，正しく手技を実行することで，
合理的に低減することができる.

(2015年7月17日　第13回日本臨床腫瘍学会学術集会にて採択)

- 2014年5月29日厚生労働省労働基準局が，「発がん性等を有する化学物質を含有する抗がん剤等に対するばく露防止対策について」(基安化発0529第1号) を各関係団体会長宛てに通知を発出する。安全キャビネットの設置，閉鎖式接続器具の使

用，ガウンテクニックの徹底などが示された。

- 日本看護協会が看護職の労働安全衛生の対策として，「抗がん剤に対するばく露防止対策」を追加し，看護職者への対策強化を促している[3)]。
- 2015年に医療安全全国共同行動の新たな10番目の行動目標W「医療従事者を健康被害からまもる」として，「抗がん剤曝露のない職場環境を実現する」が，採択される[4)]。職員の被曝を防止するための対策を17項目にまとめ，5項目を推奨対策としている。
- 2015年7月に一般社団法人日本がん看護学会，公益社団法人日本臨床腫瘍学会，一般社団法人日本臨床腫瘍薬学会が共同で『がん薬物療法における曝露対策合同ガイドライン2015年版』を刊行した[5)]。わが国における看護ケアも含む初めてのガイドラインである。
- 第13回日本臨床腫瘍学会学術集会では，表2に示す「抗がん薬による職業曝露を低減するための札幌宣言」が採択される。
- 2016年にすべての抗がん薬に対して閉鎖式接続器具(CSTD)の使用が診療報酬の中で180点が認められるようになる。これは厚生労働省が曝露対策の重要性を認めたと考える。
- 2016年に日本看護協会が看護職の労働安全衛生にかかわる情報や対応策として「抗がん薬に対するばく露防止対策」を公開する。
- 2017年に看護学教育モデル・コア・カリキュラム(大学における看護系人材養成の在り方に関する検討会)の学修目標C-5-4)に「薬剤の職業性ばく露について説明できる」[6)]が明記される。日本の看護基礎教育において初めて職業性ばく露が扱われる。
- 2018年にはNPO法人抗がん剤曝露対策協議会と一般社団法人医療安全全国共同行動では支援ツールとして表3に示す曝露対策達成度評価表を作成している[7)]。このように看護管理者のみならず医療分野のトップ管理者が実施すべき内容として取り上げられている。
- 2019年2月に『がん薬物療法における職業性曝露対策ガイドライン2019年版』[8)]の発刊(一般社団法人日本がん看護学会，公益社団法人日本臨床腫瘍学会，一般社団法人日本臨床腫瘍薬学会)。利用対象者を明確にするために職業性曝露対策ガイドラインとして改定される。

このように，職能団体，学術団体や行政が曝露対策の強化に力を入れ始めている。

表3 曝露対策達成度評価表　（各推奨対策小計 12 点以上，合計 60 点以上合格）

＊必須項目を満たした場合のみ，付加項目の点数を加点する（評価対象が複数ある場合は，小計点数の一番低いもので評価する）		点数	評価点数
推奨対策 1			
必須項目	すべての危険薬調製に室外排気型の安全キャビネットを使用している	12	
付加項目	＋クラスⅡ　タイプ B2 100%室外排気型　または クラスⅡ　タイプ A2 30%室外排気型　かつ　循環空気の抗がん剤除去が可能	2	
	＋独立・専用配管排気	2	
	＋排気風量異常時の警報装置がある	2	
	＋定期的に保守管理を行い，6ヵ月ごとに性能検査を行っている	2	
		小計	
推奨対策 2			
必須項目	危険薬のすべての調製に閉鎖式接続器具または CSTD を使用している	10	
	危険薬のすべての投与に閉鎖式接続器具または CSTD を使用している	10	
		小計	
推奨対策 3			
必須項目	危険薬を取り扱う際は，抗がん剤耐性試験済みまたは ASTM 規格に準拠した手袋・ガウンを使用し，規定のガウンテクニックを行っている	12	
付加項目	＋手袋・ガウンの適正な交換を行っている	4	
	＋曝露のリスクに合わせたガウンテクニックを行っている	4	
		小計	
推奨対策 4			
必須項目	危険薬調剤・調製時における曝露防止策を考慮した具体的な作業方法を策定し，関係者へ周知している	4	
	危険薬投与時における曝露防止策を考慮した具体的な作業方法を策定し，関係者へ周知している	4	
	危険薬ならびに危険薬に汚染された排せつ物などの廃棄時における曝露防止策を考慮した具体的な作業方法を策定し，関係者へ周知している	4	
	施設内のすべての人に曝露の可能性を開示し，その曝露防止策の方法を策定し周知している	4	
付加項目	＋曝露防止策のポスターや標語を用いて，施設に入るすべての人へ周知している	2	
	＋患者やその家族向けに曝露防止策を考慮した具体的な説明文を策定して配布している	2	
		小計	
推奨対策 5			
必須項目	危険薬取り扱い時に吸入曝露した際の対処方法を策定し，応急処置物品が常備され，関係者へ周知している	4	
	危険薬取り扱い時に針刺しした際の対処方法を策定し，応急処置物品が常備され，関係者へ周知している	4	
	危険薬取り扱い時に経皮曝露した際の対処方法を策定し，応急処置物品が常備され，関係者へ周知している	4	
	危険薬取り扱い時に目に入った際の対処方法を策定し，応急処置物品が常備され，関係者へ周知している	4	
付加項目	＋危険薬取り扱い時の曝露に対する，汚染処理器具が常備され，失活方法を確立し関係者へ周知している	4	
		小計	
		合計	

〔医療安全全国共同行動ホームページ　支援ツール　行動目標 W：医療従事者を健康被害からまもる（1）抗がん剤曝露のない職場環境を実現する http://kyodokodo.jp/koudoumokuhyou/（2020 年 1 月 27 日アクセス）〕

2 看護職における多様な曝露機会と曝露対策の必要性

1 ›› 患者・看護師にとっての抗がん薬治療の意味

がん患者にとって，抗がん薬，ホルモン療法薬，免疫賦活薬などを使用する薬物療法は，がんの増殖を抑え，成長を遅らせる，また転移や再発を予防するなどの効果があり，抗がん薬に曝露されることの危険性より効果が上回っている。

しかし，HDの投与および投与を受けた患者の看護に携わる看護師には利益はなく，適切な取り扱いをしなければ曝露による健康上のリスクがある（第1章E「HDが医療者の健康に及ぼす影響」➡p.31）。健康を守るために適切な曝露対策が必要となる。

2 ›› HDの危険性

アスベスト（石綿）に肺がんなどの人体への健康被害があることはよく知られている。世界保健機関（World Health Organization：WHO）の付属機関である国際がん研究機関（International Agency for Research on Cancer：IARC）では，ヒトに対する発がん性リスク分類において「Group 1：ヒトに対する発がん性が認められる」シクロホスファミド（エンドキサン®）など120種類を挙げている[9]。その項目には抗がん薬以外としては，ヒ素，アスベストやタバコなどが含まれている。

Villariniら（2011年）は，病院での抗がん薬による環境汚染および抗がん薬取り扱いに関連する遺伝毒性リスクの評価を行った。その結果，拭き取り検体の29.3%でフルオロウラシルまたはシタラビン陽性，医療従事者の衣服にも汚染が認められた。17.5%の看護師の勤務後の尿よりシクロホスファミドが検出された。曝露した看護師で一次DNA損傷が増加したと報告している[10]。

さらにRamphalら（2014年）は，カナダの単一施設の看護師におけるシクロホスファミドへの生物学的および環境的曝露を評価した。比較対象者は，シクロホスファミドを投与している看護師と投与していない看護師および地域住民であった。すべての看護師の3分の1でシクロホスファミドのレベルが上昇したが，地域住民には曝露を認めなかったことが報告されている[11]。

このほかにも数々の研究が報告されている[12, 13]。抗がん薬は潜在的な健康リスクを有する薬剤であるため，このようなデータからも曝露対策が必要であることが理解できる。

3 ›› 看護業務における曝露の機会

多くの病院では，調製は薬剤師の業務に位置づけられている。しかし，合同ガイドライン委員会では『がん薬物療法における曝露対策合同ガイドライン 2015 年版』および『がん薬物療法における職業性曝露対策ガイドライン 2019 年版』発行前に調製者について実態調査を行った。その結果，複数回答であったが看護師が調製役割をもつ施設は 2015 年 476 施設のうち 122 施設（25.7%）[14]，そして 2019 年では地域がん診療連携拠点病院など 308 施設のうち 93 施設（30.2%）[15] に上っていた。夜間や土日など緊急時には看護師が調製を担当する施設もある。

看護業務のうち曝露の危険があるのは，薬剤の調製や与薬準備，点滴ボトルへのビン針刺入，投与患者の吐物や排泄物の処理，HD 汚染物質の廃棄，輸液管理や経口抗がん薬の管理そして廃棄物の処理などである。このように，HD による曝露への可能性がある看護業務は多岐にわたる（第 1 章 F「職業性曝露の経路・機会とその対策」➡ p.38）。

すなわち，HD の取り扱いおよび HD 投与後最低限 48 時間の患者の看護を行う際は，適切な対応が必要である。HD 曝露の経路には，①経皮的吸収（皮膚への付着や針刺し），②吸入〔気化またはエアロゾル化（微粒子，飛沫など）〕，③取り扱いエリアでの経口摂取（成分で汚染された飲食物摂取など）などがある（第 1 章 F「職業性曝露の経路・機会とその対策」➡ p.38）。

3 適切な曝露予防で健康へのリスク低減

HD は潜在的な健康リスクを有する薬剤であるため，恐怖や不安が先立ち，「薬物療法を取り扱う部門の勤務をしたくない」などと申し出る看護師があることが看護管理者会議で報告されることがある。

幸いなことに，Kopjar ら（2001 年）[16] や Jakab ら（2001 年）[17] の研究結果から，個人防護具（PPE）や安全キャビネットを適切に使用することにより，生物学的影響を軽減し，長期的には健康リスクを軽減できることが明らかにされている。

生殖年齢にある看護職の関心事は，HD 曝露と自然流産，さらに胎児奇形などとの関係についてである。Dranitsaris ら（2005 年）[18] や Quansah ら（2010 年）[19] による，エビデンスレベルが最も高いメタアナリシスという方法での研究があるが，両者の研究結果には違いが認められた。前者は曝露によりわずかに自然流産のリスクが上昇すると指摘している。一方，後者は自然流産には関係がないと結論づけている。その後 Lawson ら（2012 年）[20] の大規模コホート研究では，妊娠第 1 三半期（13 週 6 日まで）の抗がん薬曝露と 12 週未満の早期自然流産でリスク増加を認めると報告している。

『がん薬物療法における職業性曝露対策ガイドライン2019年版』においては，2000年以降に報告された4件の研究をシステマティックレビューしているWarembourgらの報告[21]を活用し，この問題への見解を明らかにしようとした。結論としては，現在でも研究からは統一した見解は見いだせていない[22]。しかし，妊娠13週6日までは抗がん薬の取り扱いを避ける配慮が望まれるが，この時期は妊娠に気がつかないことも多い。

これまでの研究から，胎児奇形，流産，低出生体重，早産などのリスクは，HDの適切で安全な取り扱いをすることで，影響を軽減できるとされている。

妊娠に関係なく普段から曝露予防として，個人防護具や安全キャビネットを適切に使用することが何より大切であることがうかがえる。

本書では以下に続く，第1章や第2章でさらに詳しく曝露対策の知識や技術を紹介する。看護師個人だけでなく，職業としてHDを扱うすべての人々の健康を守るためには，組織全体として曝露対策が必要であり，それに取り組むことができるような内容とする。

引用文献

1) USP General Chapter〈800〉Hazardous Drugs-Handling in Healthcare Settings. Reprinted from USP 40-NF 35, Second Supplement, p.6-7, 2017.
https：//www.usp.org/sites/default/files/usp/document/our-work/healthcare-quality-safety/general-chapter-800.pdf (2020年1月27日アクセス)
2) 特定非営利活動法人抗がん剤曝露対策協議会．http://anti-exposure.or.jp/ (2020年1月27日アクセス)
3) 公益社団法人日本看護協会：看護職の働き方改革の推進　看護職の労働安全衛生―抗がん剤に対するばく露防止対策．
https：//www.nurse.or.jp/nursing/shuroanzen/safety/koganzai/index.html (2020年1月27日アクセス)
4) 中西弘和，杉浦伸一，那須和子：行動目標W 医療従事者を健康被害からまもる．医療安全全国共同行動技術支援部会(編)：医療安全 実践ハンドブック．pp.307-319，一般社団法人医療安全全国共同行動，2015.
5) 一般社団法人日本がん看護学会，公益社団法人日本臨床腫瘍学会，一般社団法人日本臨床腫瘍薬学会(編)：がん薬物療法における曝露対策合同ガイドライン2015年版．金原出版，2015.
6) 文部科学省高等教育局医学教育課：看護学教育モデル・コア・カリキュラム．
https：//www.mext.go.jp/b_menu/shingi/chousa/koutou/078/gaiyou/1397885.htm (2020年1月27日アクセス)
7) 医療安全全国共同行動ホームページ　支援ツール　行動目標W：医療従事者を健康被害からまもる(1)抗がん剤曝露のない職場環境を実現する http://kyodokodo.jp/koudoumokuhyou/(2020年1月27日アクセス)
8) 一般社団法人日本がん看護学会，公益社団法人日本臨床腫瘍学会，一般社団法人日本臨床腫瘍薬学会(編)：がん薬物療法における職業性曝露対策ガイドライン2019年版．金原出版，2019.
9) IARC：Agents Classified by the IARC Monographs, Volumes 1-125.
https：//monographs.iarc.fr/agents-classified-by-the-iarc/ (2020年1月27日アクセス)
10) Villarini M, Dominici L, Piccinini R, et al：Assessment of primary, oxidative and excision repaired DNA damage in hospital personnel handling antineoplastic drugs. Mutagenesis 26(3)：359-369, 2011.
11) Ramphal R, Bains T, Vaillancourt R, et al.：Occupational exposure to cyclophosphamide in nurses at a single center. Journal of Occupational and Environmental Medicine, 56(3)：304-312, 2014.
12) 日本がん看護学会，日本臨床腫瘍学会，日本臨床腫瘍薬学会(編)：付録HD曝露による生物学的影響および健康影響(1990年以降に報告されたもの)．がん薬物療法における曝露対策合同ガイドライン2015年版．pp.18-23，金原出版，2015.

13）Polovich M, Olsen M（Eds.）：Safe Handling of Hazardous Drugs（3rd ed.）. Oncology Nursing Society（ONS），2017.
14）飯野京子，神田清子，平井和恵，ほか：看護師のがん薬物療法における曝露対策に関する実態調査―がん薬物療法における曝露対策合同ガイドライン発行前調査―. 日本がん看護学会誌 29：79-84, 2015.
15）一般社団法人日本がん看護学会，公益社団法人日本臨床腫瘍学会，一般社団法人日本臨床腫瘍薬学会合同ガイドラインワーキンググループ：がん薬物療法における職業性曝露対策に関する実態調査（1）会議内部資料. 2018.
16）Kopjar N, Garaj-Vrhovac V：Application of the alkaline comet assay in human biomonitoring for genotoxicity：a study on Croatian medical personnel handling antineoplastic drugs. Mutagenesis16（1）：71-78, 2001.
17）Jakab MG, Major J, Tompa A：Follow-up genotoxicological monitoring of nurses handling antineoplastic drugs. Journal of Toxicology and Environmental Health 62（5）：307-318, 2001.
18）Dranitsaris G, Johnston M, Poirier S, et al：Are health care providers who work with cancer drugs at an increased risk for toxic events? A systematic review and meta-analysis of the literature. Journal of Oncology Pharmacy Practice 11（2）：69-78, 2005.
19）Quansah R, Jaakkola JJ.：Occupational exposures and adverse pregnancy outcomes among nurses：a systematic review and meta-analysis. Journal of Women' s Health（Larchmt）19（10）：1851-1862, 2010.
20）Lawson CC, Rocheleau CM, Whelan EA, et al：Occupational exposures among nurses and risk of spontaneous abortion. American Journal of Obstetrics & Gynecology 206（4）：327. e1-327. e8, 2012.
21）Warembourg C, Cordier S, Garlantézec R：An update systematic review of fetal death, congenital anomalies, and fertility disorders among health care workers. American Journal of Industrial Medicine, 60（6）：578-590, 2017.
22）前掲書 8），pp.26-29.

（神田 清子）

第1章

曝露対策の基礎知識

A がん薬物療法において曝露対策が必要な薬：Hazardous Drugs（HD）とは何か？

わが国においては，医薬品に対してさまざまな分類がされている。一般的には「普通薬」「劇薬」「毒薬」などが広く使われている。これらは，「医薬品，医療機器などの品質，有効性および安全生の確保等に関する法律」（薬機法）で定義されるものであり，主に薬剤部や病棟での管理に必要な分類である。

1 ›› ハイリスク薬

近年，医療従事者が使い方を誤ると患者に重大な被害をもたらすために，医療安全管理上に注意が必要な薬剤に対して，「ハイリスク薬」が定義され，病棟や薬剤部などでは一般薬とは異なる扱いをするよう求められている。

ハイリスク薬には，『医薬品の安全使用のための業務手順書作成マニュアル』における「ハイリスク薬」[1]と，薬学的管理を行った際に，薬剤管理指導料1を算定することのできる「ハイリスク薬」がある（表 1-1）。これらは，用法・用量，薬物相互作用の確認，副作用の薬物依存（向精神薬）の説明と確認，治療モニタリングが必要な医薬品とされている。

表 1-1 ハイリスク薬

「医薬品の安全使用のための業務手順書作成マニュアル」におけるハイリスク薬	薬剤管理指導料 1 を算定できるハイリスク薬
①投与量等に注意が必要な医薬品	①抗悪性腫瘍剤
②休薬期間の設けられている医薬品や服用期間の管理が必要な医薬品	②免疫抑制剤
③併用禁忌や多くの薬剤との相互作用に注意を要する医薬品	③不整脈用剤
④特定の疾病や妊娠等に禁忌である医薬品	④抗てんかん剤
⑤重篤な副作用回避のため，定期的な検査が必要な医薬品	⑤血液凝固阻止剤
⑥心停止等に注意が必要な医薬品	⑥ジギタリス製剤
⑦呼吸抑制に注意が必要な注射剤	⑦テオフィリン製剤
⑧投与量が単位（Unit）で設定されている注射剤	⑧カリウム製剤（注射剤に限る）
⑨漏出により皮膚障害を起こす注射剤	⑨精神神経用剤
	⑩糖尿病用剤
	⑪膵臓ホルモン剤
	⑫抗 HIV 薬

〔左欄の出典　厚生労働省：医薬品の安全使用のための業務手順書作成マニュアル（平成 30 年改訂版）. p.85, 2018.〕

2 ›› Hazardous Drugs (HD)

Hazardous Drugs (HD) とは，曝露することにより健康への有害な影響をもたらすか，または疑われる薬品をいう。わが国で刊行された『がん薬物療法における職業性曝露対策ガイドライン 2019年版』では，ヒトまたは動物に対して表1-2の6項目[2)]のうち，1つでも該当した場合は，HDとして扱われる。適当な日本語が該当せず，わが国でもHDと称して使用している。

世界保健機関 (World Health Organization：WHO) の付属機関である国際がん研究機関 (International Agency for Research on Cancer：IARC) は，抗がん薬を含めた化学物質や放射線のほか，労働行為なども含め，ヒトに対する発がん性のリスク分類を示している (表1-3)。しかし，抗がん薬の曝露対策領域ではあまり用いることはない。

■ HDの適応範囲

米国薬局方に該当する United States Pharmacopeial Convention (USP) General Chapter 〈800〉 (以下，USP 〈800〉) では，HD製剤を取り扱うすべての医療従事者および保管，調製，運搬または投与するすべての組織 (病院またはクリニックなど) は，USP 〈800〉 に記載してある事項を遵守しなければならないとされている。HDに曝露する可能性のある職種としては，医師，看護師，薬剤師，調剤助手，医師助手，訪問看護師，獣医師などが含まれているが，これらに限局せず，HDを取り扱うすべての医療職を示している。

表1-2 HDの定義

- 発がん性
- 催奇形性または発生毒性
- 生殖毒性
- 低用量での臓器毒性
- 遺伝毒性
- 前記基準によって有毒であると認定された既存の薬剤に類似した化学構造および毒性プロファイルを示すもの

〔一般社団法人日本がん看護学会，公益社団法人日本臨床腫瘍学会，一般社団法人日本臨床腫瘍薬学会 (編)：がん薬物療法における職業性曝露対策ガイドライン 2019年版. p.3，金原出版，2019より抜粋〕

表1-3 IARCによる発がん性リスク分類

Group 1	人に対する発がん性が認められる	120種類
Group 2A	人に対する発がん性があると考えられる	83種類
Group 2B	人に対する発がん性がある可能性がある	314種類
Group 3	人に対して発がん性があるものとして分類できない	500種類

〔IARC：Agents Classified by the IARC Monographs, Volumes 1-125.
https://monographs.iarc.fr/agents-classified-by-the-iarc/ (2020年1月27日アクセス)〕

■HD リストの作成

米国労働安全衛生研究所（National Institute of Occupational Safety and Health：NIOSH）では，取り扱いに注意を要する抗がん薬およびそのほかの薬剤についてHDリストを作成している。各医療機関では，NIOSHの最新のHDリストに掲載されている品目のうち，当該施設で採用しているすべてのHDを掲載した独自のHDリストを作成・管理しなければならない。そのリストは施設内で12か月ごとに改定しなければならないと提示している。

新規の薬剤または剤型を使用する場合は，当該施設のHDリストと照らし合わせ修正が必要である。HDは抗がん薬だけではなく，表1-2の6項目のうち1つでも該当した場合は，HDとして扱われる。抗ウイルス薬，ホルモン誘導体，免疫抑制薬なども含まれるため，自施設でのリスト作成が必要である。自施設におけるHDリスト作成の際に，その医薬品が医療従事者に有害なものかどうかを評価する情報源としては表1-4のような資料[3]があり，これらを基に各施設でのHDリスト作成することが望ましい。

■危険を知らせる表示

厚生労働省では，感染廃棄物を入れた容器には，関係者が一目で感染性廃棄物であることを識別できるように「バイオハザードマーク」を添付することを推奨している。感染性廃棄物とは，医療機関で発生する廃棄物のうち感染性のおそれがある廃棄物（注射器，メス等）を示し，ほかの廃棄物と分離して保管，収集，処分することが義務づけられている。バイオハザードマークには表1-5の3種類があり，それぞれの内容物や梱包方法・容器の材質などを指定している。

施設によっては，HDが付着している可能性のあるものには「バイオハザードマーク」を示しているが，本来，HDの有するリスクはバイオハザードマークが示す意味とは異なる。そのため，がん薬物療法における職業性曝露対策ガイドライン2019年版改訂委員会ではHDマーク（図1-1）を作成し，HDを取り扱う際は，このマークを使用することを推奨している。HDマークの使用に関しては許可申請などは不要であり，日本臨床腫瘍薬学会や日本がん看護学会のホームページよりダウンロードして使用することを許可している[4, 5]。なお「抗がん薬・取扱注意」の文字は変更可能である。

図1-1 HDマーク

表 1-4 HD リスト作成のための資料

American Hospital Formulary Service [米国病院処方指針サービス] (AHFS) Pharmacologic-Therapeutic Classification system [薬物治療分類システム]	AHFS の Pharmacologic-Therapeutic Classification system [薬物治療分類システム] は，薬剤を作用機序に基づいてカテゴリーに分類するための，広く受け入れられているシステムである。このシステムでは，抗がん薬はすべてカテゴリー10 に指定されている。カテゴリー10 はすべて有害である。
IARC Monographs on the Evaluation of Carcinogenic Risks to Humans [ヒトへの発がんリスク評価に関する研究文献]	物質に関して，6 つのワークグループ (Pharmaceuticals, Biological Agents, Arsenic, Metals, Fibres, and Dust, Radiation, Personal Habits and Household Exposures, Chemical Agents and Related Occupations) で下記のように分類した。 最新の報告は https://monographs.iarc.fr/agents-classified-by-the-iarc/ より入手できる。
Safe data sheets [安全データシート] (SDS)	安全データシート (SDS) は，製品の化学的物質を製造業者が記述したもので，次のような項目が含まれている。 ・曝露による健康影響および応急処置 ・保存，取り扱いおよび廃棄に関する情報 ・個人の防御方法 ・薬物がこぼれた時 (スピル時) の洗浄手順　など 有害とみなされる，または有害な成分を含む薬品については，製造業者は安全データシート (SDS) を作成しなければならない。
U. S. Department of Hearth and Human Services National Toxicology Program's Report on Corcinogens, 14 th Edition [国家毒性プログラムによる発がん性物質に関する報告書]	この報告書に記載されている発がん性物質リストは，「既知のヒト発がん性物質」または「ヒト発がん性物質と合理的に予想される」という項目のいずれかに分類される。 報告書は，https://ntp.niehs.nih.gov/pubhealth/roc/index-1.html より入手できる。
NIOSH List of Antineoplastic and Other Hazardous Drugs in Healthcare Settings	有害な薬剤として取り扱うべき薬剤のサンプルリストの表が掲載されている。この HD リストは 2 年ごとに更新され，https://www.cdc.gov/niosh/review/peer/isi/hazdrug2018-pr.html より入手できる。
Package in inserts for specific pharmaceutical agents [特定医薬品の添付文書]	米国 FDA で承認された薬品すべての添付文書には，臨床医が薬品を有害と分類するべきかを決定する際に役立つ情報が含まれており，次のような項目が含まれている。 ・医薬品分類 ・妊娠カテゴリーおよび生殖毒性 ・臓器毒性 ・曝露によって起こりうる二次的ながん ・薬剤に関する警告

・American Society of Health System Pharmacicts : ASHP Guidelines on Handling Hazardous Drugs, 2016.
・IARC Monographs Programme on the Evaluation of Carcinogenic Risks to Humans, 2012.
・NIOSH List of Antineoplastic and Other Hazardous Drugs in Healthcare Settings, 2016.
・米国保健社会福祉省公衆衛生局・国家毒性プログラム 2016 年の情報に基づいている。
〔Polovich M, Olsen M (Eds.) : Safe Handling of Hazardous Drugs (3rd ed.). pp.3-4, Oncology Nursing Society (ONS), 2017. / 一般社団法人日本がん看護学会，公益社団法人日本臨床腫瘍学会，一般社団法人日本臨床腫瘍薬学会 (編) : がん薬物療法における職業性曝露対策ガイドライン 2019 年版. p.16, 金原出版, 2019 より改変〕

表 1-5 バイオハザードマーク

色	内容物	梱包方法，容器の材質
（赤）	血液などの液状，泥状のもの	廃液等が漏洩しない密閉容器
（黄）	注射針，メスなど鋭利なもの	対貫通性のある強牢な容器
（橙）	血液が付着したガーゼなど固形状のもの	丈夫なプラスチック袋を二重にして使用

国際的な動きとしては，International Society of Oncology Pharmacy Practitioners (ISOPP) もバイオハザードと HD が異なることを問題視し，2019 年 10 月にホームページ上の輸液ボトルの写真にあるバイオハザードマークを削除した。また，European Society of Oncology Pharmacy (ESOP) は，取り扱いの注意喚起として，Yellow Hand ラベルを付けることを推奨している[6]。

引用文献

1) 厚生労働省：医薬品の安全使用のための業務手順書作成マニュアル (平成 30 年改訂版). p.85, 2018.
2) 一般社団法人日本がん看護学会，公益社団法人日本臨床腫瘍学会，一般社団法人日本臨床腫瘍薬学会 (編)：がん薬物療法における職業性曝露対策ガイドライン 2019 年版. p.15，金原出版，2019.
3) 前掲書 2)，p.16.
4) 日本臨床腫瘍薬学会：HD を表すシンボルマーク「HD マーク」について. https://jaspo-oncology.org/other/hdmark/ (2020 年 1 月 27 日アクセス)
5) 日本がん看護学会：HD を表すシンボルマーク「HD マーク」について. https://jscn.or.jp/kanko/index.html (2020 年 1 月 30 日アクセス)
6) European Society of Oncology Pharmacy：Yellow Hand. https://www.esop.li/yellowhandaward.php (2020 年 1 月 27 日アクセス)

(野村 久祥)

COLUMN

ミリ，ナノ，ピコについて—HD を 1 滴こぼしたら

HD は 1 滴こぼすと汚染されるため，CSTD の使用や PPE の着用が重要だ，といわれている。曝露対策に関する論文では，CSTD を使用して，○μg 検出された，○ ng 検出されたなどの報告がある。それらはいったいどのぐらいの量なのだろうか？

国際単位系（SI）によると SI 基本単位は，長さ（メートル），質量（キログラム），時間（秒），電流（アンペア），熱力学温度（ケルビン），物質量（モル），光度（カンデラ）がある。また SI 接頭語として 10 の整数乗を表すものが規定されている。

曝露関連を例にすると，オランダの Sessink が提唱するリスク分類では，図 1-11（➡ p.36）のように記載されている。166 cm，60 kg の乳がん患者に投与されるドキソルビシン＋シクロホスファミド療法では，生理食塩液 250 mL にシクロホスファミドが 1,000 mg 入るため，4 mg/mL となる。がん薬物療法施行中にビン針を抜いた時，1 滴（日本薬局方によると 20℃での水 1 滴は 0.05 mL とされている）こぼれてしまった場合は，0.2 mg が床に落ちたことになる。Sessink が危険としている，10 ng を 1 円玉 1 枚（1 mg）とすると，この時こぼしたシクロホスファミドはどのぐらいになるのだろうか？ 10 ng は 10×10^{-9} g なので 10^{-5} mg となる。こぼしてしまった 0.2 mg は 2×10^{4} 倍となるので，1 円玉 20,000 枚分になる。1 cm^2 に 1 円玉が 1 つあっただけで危険とされているにもかかわらず，1 滴こぼした場合は，1 円玉 20,000 枚分ぐらい危険となる。

ちなみに，10 の 3 乗がキロ（1,000）であり，10 の 6 乗がメガ（100 万），10 の 9 乗がギガ（10 億）となる。また，テラは 10 の 12 乗（1 兆）を示す。一番大きいのが 10 の 24 乗で，ヨタというものがある。小さい単位は，ミリが 10 のマイナス 3 乗（1,000 分の 1），マイクロが 10 のマイナス 6 乗（100 万分の 1），ナノが 10 のマイナス 9 乗（10 億分の 1），ピコが 10 のマイナス 12 乗（1 兆分の 1）になる。一番小さいのが 10 のマイナス 24 乗で，ヨクトという。ナノ（10 億分の 1）がどのぐらい小さいかイメージがつきにくいが，太陽の直径（約 1,4000,000 km）と大玉転がしの玉の直径ぐらい（約 1.4 m）の差がある。

国際単位系（SI）による基本単位の規定

大きい単位

接頭語	記号	倍数	日本語読み
Tera（テラ）	T	10^{12}	1 兆倍
Giga（ギガ）	G	10^{9}	10 億倍
Mega（メガ）	M	10^{6}	100 万倍
Kilo（キロ）	k	10^{3}	1,000 倍

小さい単位

接頭語	記号	倍数	日本語読み
Milli（ミリ）	m	10^{-3}	1,000 分の 1
Micro（マイクロ）	μ	10^{-6}	100 万分の 1
Nano（ナノ）	n	10^{-9}	10 億分の 1
Pico（ピコ）	p	10^{-12}	1 兆分の 1

参考文献

Sessink PJM：Environmental contamination with cytostatic drugs：past, present and future. Safety Considerations in Oncology Pharmacy（special ed.），Fall 2011.

B 医薬品開発と非臨床試験

1 医薬品開発の流れ

新しい薬剤を作るためには，大きく分けて3つの工程がある。目的とする活性をもつ新しい化合物を見つける段階である「基礎・探索」。薬効や体内動態，毒性を確認するために動物に投与して行われる「非臨床試験」。実際に人に投与して薬効や安全性を確認するとともに，その薬の投与量や用法などを決定するために行われる「臨床試験(治験)」である(図1-2)。

1 ›› 非臨床試験

医薬品の承認に必要な非臨床試験には，大きく分けて薬理試験，薬物動態試験，毒性試験の3種類がある。薬理試験は，効力を裏付ける薬効薬理試験，副次的薬理(一般薬理)・安全性薬理，そのほかの薬理(薬力学的薬物相互作用)に分けられる。薬物動態試験は，この後に記載する(「D. HDの薬物動態　代謝と排泄」➡p.27)，吸収，分布，代謝，排泄を調べる試験である。毒性試験は，単回投与毒性，反復投与毒性，遺伝投与毒性，生殖発生毒性などの毒性を調べる試験である。

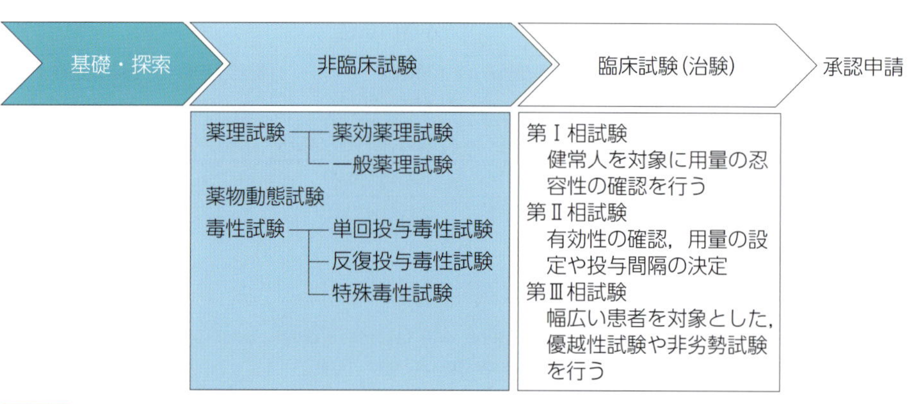

図1-2 医薬品開発の流れ

1 薬理試験

効力を裏付ける試験(薬効薬理試験)は，申請効能・効果を裏付けるための試験であり，各薬剤によって手法は異なる。既存薬との比較試験データやネガティブな結果が出た試験データも提出する必要がある。また，申請の用法や臨床試験と同じ投与経路で実施することや，臨床用量との関係，作用機序の検討なども必要とされている。

2 薬物動態試験

薬物動態試験は，新規薬剤の体内動態(➡ p.27)を明確にするための試験である。動物に投与された新規薬剤の吸収，体内での分布・代謝，そして排泄を調べる。血液中の濃度を調べて，吸収の過程や速度を確認し，標的とする臓器への到達量や到達時間がどのようになっているか，体内への蓄積があるか，生成される代謝物にはどのようなものがあるかが解析される。

3 毒性試験

新規医薬品の場合，毒性試験は「単回投与毒性試験」,「反復投与毒性試験」,「特殊毒性試験(遺伝毒性，生殖発生毒性)」を実施することが前提である。必要に応じ，「免疫毒性試験」(一般毒性試験などで免疫毒性の徴候があった場合),「局所刺激試験」,「がん原性試験」(臨床で6か月以上投与される薬剤)や「依存性試験」(向精神薬など)を実施する。下記の毒性試験については,『医薬品の製造(輸入)承認申請に必要な毒性試験のガイドライン』[1)]に記載されている。

① 単回投与毒性試験

この試験の目的は，被験物質を哺乳動物に単回投与した時の毒性を質的・量的に明らかにすることである。動物種は2種類以上とし，少なくとも1種については雌雄について調べる。

② 反復投与毒性試験

この試験の目的は，被験物質を哺乳動物に繰り返し投与したとき，明らかになる毒性変化を惹起する用量とその変化の内容，および毒性変化の認められない用量を用いることである。動物種は2種類以上とし，うち1種はげっ歯類，1種はウサギ以外の非げっ歯類の中から選ぶ。原則として雌雄の動物を同数使用する。

③ 遺伝毒性試験

遺伝毒性とは，外来性の化学物質や物理化学的要因，もしくは内因性の生理的要因などによりDNAや染色体，あるいはそれらと関連するタンパク質が作用を受け，その結果，細胞のDNAや染色体の構造や量を変化させる性質(事象)をいう。遺伝毒性はほかの毒性と異なり，それ自体に毒性の実態はない。遺伝毒性は変異原性に比べて広義であり，DNAや染色体に影響を与え，構造もしくは遺伝情報の変化をもたらすが，変異原性のように次の世代の遺伝情報に不可逆的変化を与えないものまで含む(図1-3)[2)]。

遺伝毒性試験は，細菌や哺乳類培養細胞などを用いる *in vitro* 試験と，マウスや

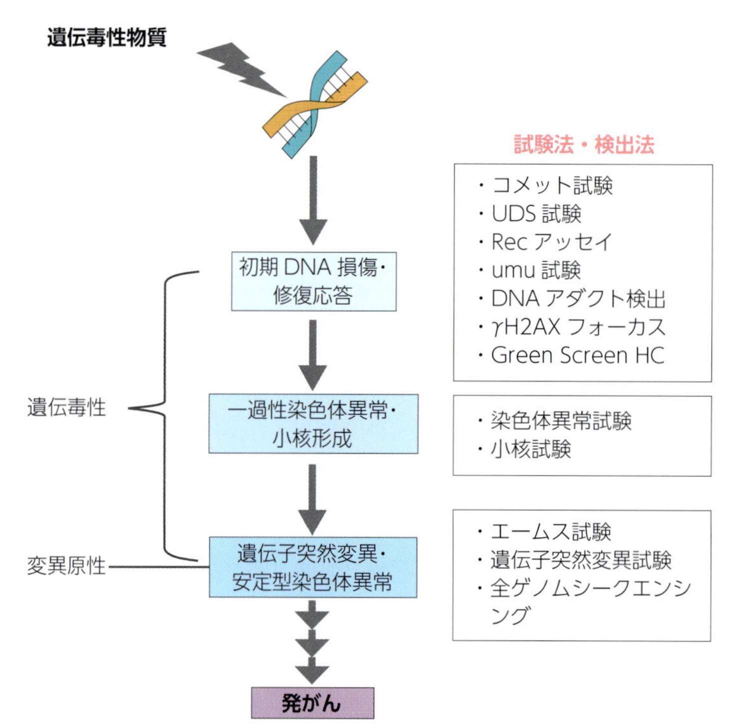

図 1-3 遺伝毒性・変異原性とその試験法
〔国立医薬品食品衛生研究所　安全性生物試験研究センター　変異遺伝部：遺伝毒性概要　1. はじめに：遺伝毒性とは何か?（図 1）. http://www.nihs.go.jp/dgm/genotoxicitytest2.html#anchor1（2020 年 1 月 27 日アクセス）〕

ラットなどの個体を用いる *in vivo* 試験に分類できる。これらの試験は主に体細胞を介する遺伝毒性の発がんスクリーニング試験として行われる。*in vivo* 試験では，ターゲットとして精子や精巣を用いることにより，生殖細胞を介した遺伝性疾患誘発性のスクリーニングとして用いられる。

④ 生殖発生毒性試験

生殖発生毒性試験とは，化学物質の生殖毒性と発生毒性を調べる試験である。

生殖毒性は，雌雄の親の性行動，性成熟，受精，妊娠，出産，哺育等の毒性影響を調べる。また，発生毒性は，受精前，出生前，出生後から死に至る一連の児の発生過程における，早期死亡，形態異常，発育遅延，行動機能異常の毒性影響を調べる。

多くの医薬品については，(1) 交配前（雌雄）から交尾，着床に至るまでの薬物の投与に起因する毒性および障害を検討する，受胎能および着床までの初期胚発生に関する試験（I 試験），(2) 着床から離乳までの間薬物を投与し，妊娠／授乳期の雌動物，出生児の発生に及ぼす悪影響を検出する，出生前および出生後の発生ならびに母体機能に関する試験（II 試験），(3) 着床から硬口蓋の閉鎖までの期間中雌動物に薬物を投与し，妊娠動物および胚・胎児の発生に及ぼす悪影響を検出する，胚・胎児発生に関する試験（III 試験）の 3 試験が用いられている。これらの試験は薬物の開発の過程に合

表 1-6 本邦の注射抗がん薬の生殖発生毒性試験と排泄率の例（インタビューフォームから抜粋）

一般名（販売名）	生殖発生毒性試験	器官形成期投与試験	遺伝毒性・がん原性・変異原性
イホスファミド（注射用イホマイド）	ラットに対して妊娠前および妊娠初期投与試験を行った結果，交尾，妊娠成立は正常であったが，2.5 mg/kg/日以上の投与群で胎児の発育抑制と胎児死亡の増加が認められた。催奇形性はみられなかった	ラットにおける胎児の器官形成期の投与では，胎児の発育抑制がみられ，次世代児の発育や生殖能にも抑制傾向がみられた	マウスを用いたがん原性試験では肺腫瘍数を有意に増加させた

〔一般社団法人日本がん看護学会，公益社団法人日本臨床腫瘍学会，一般社団法人日本臨床腫瘍薬学会（編）：がん薬物療法における職業性曝露対策ガイドライン 2019 年版．pp.124-125，金原出版，2019 より抜粋〕

わせて実施することになる。

⑤ がん原性試験

がん原性試験ガイドラインによると，臨床での使用が少なくとも6か月以上継続されるような医薬品においてはがん原性試験が実施されるべきとされている[3)]。がん原性試験の目的は動物においてがん原性の有無を明らかにし，ヒトに対するリスクを評価することである。さまざまな実験的研究，毒性試験，あるいは人のデータなどからヒトにおけるがん原性が懸念される場合には，がん原性試験が必要となる。

医薬品が臨床試験（治験）として投与されるためには，前記のような非臨床試験が必要であり，その結果が医薬品のインタビューフォームに掲載されている。『がん薬物療法における職業性曝露対策ガイドライン 2019 年版』の巻末資料に掲載されている，「本邦注射抗がん薬の生殖発生毒性試験と排泄率（インタビューフォームから抜粋）」は，インタビューフォームに掲載されている前記の情報を掲載し，抗がん薬の毒性を示したものである（表 1-6）[4)]。前項表 1-2 にある HD の定義中の毒性が1つでもある場合は HD と定義されるため，前記のような試験結果を参考に，各施設で HD リストを作成していただきたい。

引用文献

1）厚生省：医薬品の製造（輸入）承認申請に必要な毒性試験のガイドラインについて（平成元年9月11日，薬審一第二四号）．https://www.pmda.go.jp/files/000205438.pdf（2020 年 1 月 27 日アクセス）

2）国立医薬品食品衛生研究所　安全性生物試験研究センター　変異遺伝部：遺伝毒性概要　1. はじめに：遺伝毒性とは何か？（図 1）．
http://www.nihs.go.jp/dgm/genotoxicitytest2.html#anchor1（2020 年 1 月 27 日アクセス）

3）厚生省：がん原性試験ガイドライン（薬食審査発第 1127001 号）．
https://www.pmda.go.jp/files/000156718.pdf（2020 年 1 月 27 日アクセス）

4）一般社団法人日本がん看護学会，公益社団法人日本臨床腫瘍学会，一般社団法人日本臨床腫瘍薬学会（編）：がん薬物療法における職業性曝露対策ガイドライン 2019 年版．pp.124-125，金原出版，2019.

（野村 久祥）

C HDの形態別にみたリスク

1 注射薬

1 ›› 容器の違いによる曝露の危険性

■アンプル

容器全体が硬質ガラスで一体成型された容器である。ワンポイントカットアンプルはポイントの下部にカット線が入っているため，これを広げるようにカットする。その際，バイアル頭部を上方向に引きながらカットするとアンプルの損傷やガラス片による負傷のリスクを軽減できる（図 1-4）。ただし，それだけでは開封時にガラス片や内容液が飛散する危険性があるため，内容物がHDの場合はガーゼで覆った状態でカットする等の対策が必要である。また，アンプルは開封後の密封性も保てないため，廃棄時にはHDをすべて吸い取ってから廃棄するよう配慮を要する。

なお，製品としては容器全体が樹脂で一体成型されたポリアンプルも上市されている。本書作成時点でポリアンプルを用いた抗がん薬は確認されていないが，ポリアンプルであってもガラス片が生じないだけで内用液は飛散する可能性がある。そのため，仮にこれが用いられたHDが上市された場合，その取り扱い時も硬質性ガラス製と同様，飛散防止の配慮が必要となる。

■バイアル

ゴム栓部に注射針を刺入して薬液を採取するタイプの容器である。近年では，HD

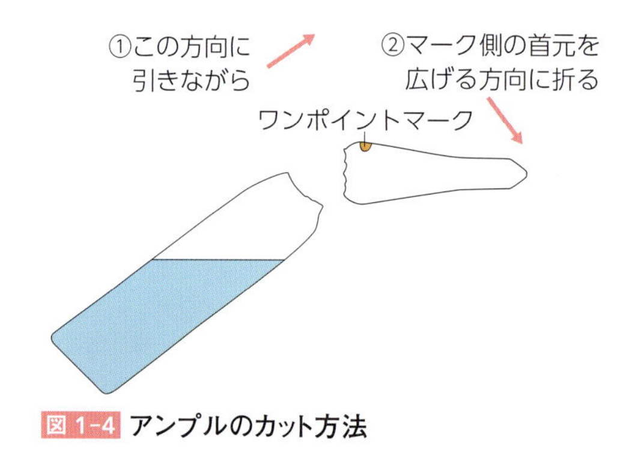

図 1-4 アンプルのカット方法

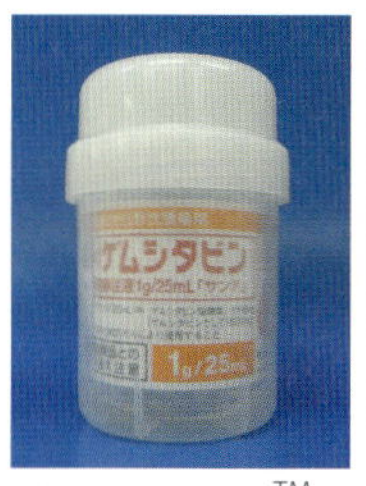

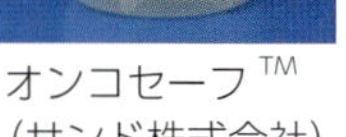

オンコセーフ TM
(サンド株式会社)

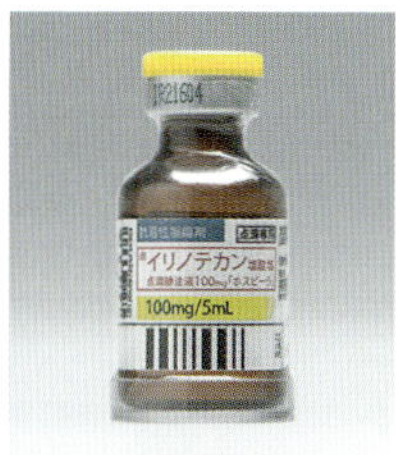

オンコテイン TM
(持田製薬株式会社)

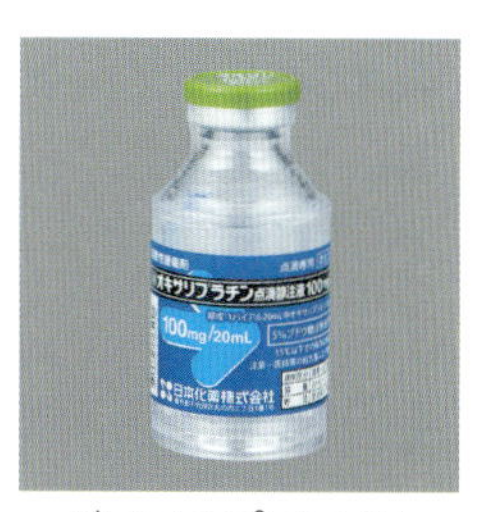

バイアルプロテクトパック®Ⅱ*
(日本化薬株式会社)

図 1-5 プロテクト包装されたバイアルの例
*パック自体は株式会社岩田レーベルの製品

用としてバイアル自体を樹脂製容器に封入した製品（図 1-5 のオンコセーフ TM）や樹脂製台座とフィルムコーティングを施した製品（図 1-5 のオンコテイン TM），樹脂コップとラベルで覆った製品（図 1-5 のバイアルプロテクトパック®Ⅱ）等が上市されている。このようなプロテクトを施した製品は，プロテクトをはずさず使用し，リキャップ式のフタがある製品は廃棄時に再度密封する。プロテクトバイアルを用いることでバイアル破損による曝露リスクだけでなく，製造時にバイアル表面に付着する HD による曝露リスクも低減できる。

内容物が HD のバイアルは，曝露防止の観点から通常は閉鎖式薬物移送システム（CSTD）（COLUMN「CSTD」➡ p.58）を用いて調製する。やむを得ず注射針を刺入する場合は，薬液漏れやエアロゾルの発生を防ぐため，バイアル内が陽圧にならないよう操作する必要がある（➡ COLUMN「調製に伴うエアロゾルとは」）。

また，バイアルゴム栓部に注射針を刺入する際は，コアリング（削れたゴム栓が薬液中に入ってしまう現象）を避けるため刺入方法に注意する（➡ 図 2-12，p.120）。なお，2 回以上の刺入を行う場合は，同一箇所への刺入を避けることに加え，前回刺入位置に配慮した刺入位置を選択することで薬液の漏出リスクを軽減できる（図 1-6）

COLUMN

調製に伴うエアロゾルとは

エアロゾルとは，気体中に微小な液体または固体の粒子が浮遊する状態である。調製時にバイアル内が陽圧の状態で注射針を引き抜くことにより，エアロゾル状になった薬液が噴出（スプラッシュ）する。例えわずかでもバイアル内が陽圧になっていると容易にスプラッシュするため，バイアル内を確実に弱陰圧にしてから抜針する。なお，バイアル内陽圧時のスプラッシュは，バイアルを正立状態（ゴム栓を上向きの状態）にして抜針しても防止できない。

○ **漏出リスクが低い例**

① ②

推奨

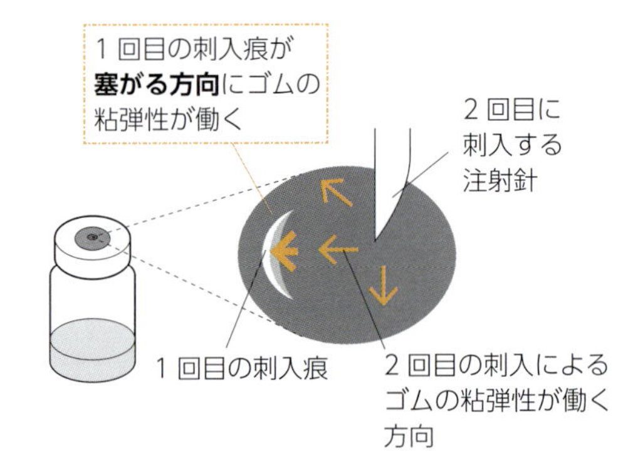

× **漏出リスクが高い例**

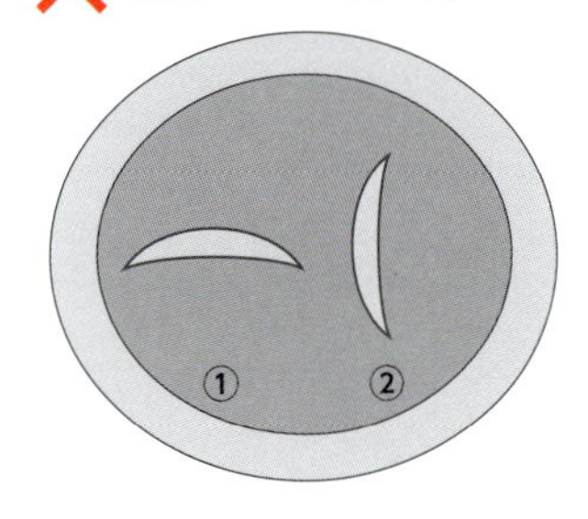

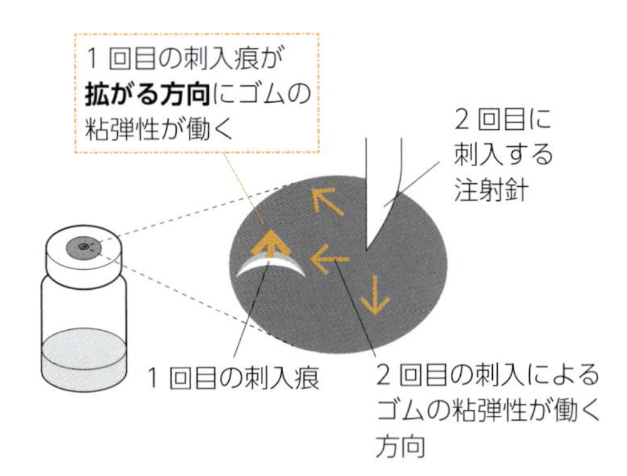

図 1-6 前回刺入位置に配慮した刺入位置
〔中山季昭：Point 4 ゴム栓部分への針刺しについて．一般社団法人日本病院薬剤師会（監），遠藤一司，濱敏弘，加藤裕久，米村雅人，中山季昭（編著）：抗悪性腫瘍薬の院内取扱い指針 抗がん薬調製マニュアル 第4版．p.19，じほう，2019を参考に作成〕

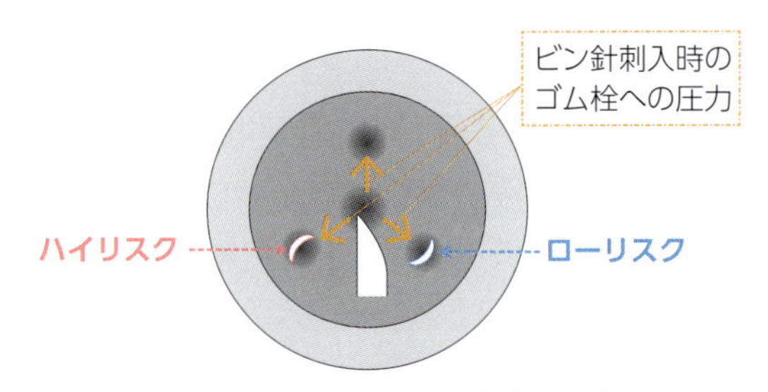

図 1-7 ビン針の刺入に伴うゴム栓への圧力を考慮した針刺しの向き
〔中山季昭：Point 4 ゴム栓部分への針刺しについて．一般社団法人日本病院薬剤師会（監），遠藤一司，濱敏弘，加藤裕久，米村雅人，中山季昭（編著）：抗悪性腫瘍薬の院内取扱い指針 抗がん薬調製マニュアル 第4版．p.20，じほう，2019を参考に作成〕

(COLUMN「バイアルの調製に使用するシリンジと注射針について」➡ p.25)。

■輸液容器

軽量で割れない等の理由からプラスチック容器が用いられることが多い。そのうち，HD の投与においてはエアー針が不要なソフトバッグタイプの容器が推奨される。

輸液容器のゴム栓部はバイアル容器と異なり投与ルートのビン針を刺入することが前提の形状にされていることが多い。その場合，薬液注入はビン針を刺入する部分を避けて行うとともに，ビン針の刺入に伴うゴム栓への圧力を考慮して刺入の向きを工夫することで投与中における薬液の漏出リスクを軽減できる（図 1-7）。

なお，HD が充填された輸液容器は，表面が調製時に HD 汚染された可能性を考慮し，1 薬剤 1 袋のジッパー付きプラスチックバッグに入れ，密閉した状態で運搬・保管・廃棄を行う。内容物が HD であることの表示も必要である（COLUMN「ジッパー付きプラスチックバッグ」➡ p.132）。

COLUMN

バイアルの調製に使用するシリンジと注射針について

バイアル入り HD を通常調製（溶解や採取）する際は，ルアーロックシリンジと SB（short bebel）針の使用が推奨される。

ルアーロックシリンジとは注射針の接続部がねじ込み式になっているシリンジで，これを使用することにより使用中に注射針がはずれるリスクを軽減できる。また，シリンジの押し子（プランジャー）引き抜き防止の観点から，採取薬液量よりもやや大きいサイズのシリンジを用いるとよい。

SB 針は静注用の注射針で，皮下筋注用の RB（regular bebel）針に比べて針先の刃面長が短い注射針である。経験の浅い担当者が RB 針を用いておそるおそる（ゆっくりと）ゴム栓に注射針を刺入すると液漏れが生じやすいが，SB 針を使用することで刺入した注射針の針先はゴム栓に埋もれやすくなり液漏れリスクは軽減できる。

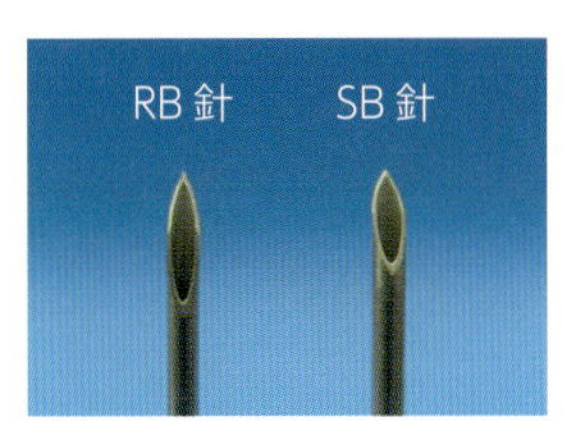

RB 針と SB 針の針先の違い（18 G 注射針）

〔中山季昭：口絵 2-2-1 regular bebel 針（左）と short bebel 針（右）の針先の違い（ともに 18 ゲージ注射針）．杉浦伸一，橋田　亨，中西弘和（編著），安全な薬剤投与のための 医療材料の選び方・使い方．巻頭口絵 p.3，じほう，2010.〕

2 内服薬

1 ›› 剤形の違いによる曝露の危険性

HDの場合，曝露が生じにくく服用しやすい錠剤（裸錠/素錠，フィルムコーティング錠，糖衣錠），カプセル剤が適している。散剤・顆粒剤は用量調整を行いやすいが，調剤・投与時の曝露に注意が必要となる。特に粒子径が小さい散剤は飛散に注意する。散剤の吸入防止にはN95マスクが有効である。

錠剤やカプセル剤であっても，それらには直接触れないように取り扱う。錠剤表面にHD成分が露出している裸錠/素錠はもちろん，HD成分が覆われているフィルムコーティング錠やカプセル剤であっても，それらの外面にはHDが付着していることが報告されている[1, 2]。

2 ›› 包装による曝露の危険性

経口薬にはさまざまな包装が施されている。欧米ではビン入りの製品も散見されるが，日本ではPTP包装（press through pack）が大多数を占める。PTP包装は薬剤が個別密封されており曝露の危険性が最も少ない。また散剤や顆粒剤の分包品は，アルミ箔やセロファンに低密度ポリエチレンなどの熱可塑性高分子フィルムを重ねたラミネートフィルム製のヒートシール型包装形態であるSP包装（strip package）が用いられることが多い。ただし，このような密封型包装であっても包装外面にHD付着が認められることがあることから，取り扱い時には手袋の着用が推奨されている[3]。

引用文献

1） 川本英子，浜原安奈，兼光朝子，ほか：フルオロウラシル内服薬のPTPシート汚染原因の検討．医療薬学，41（9）：630-635, 2015.
2） 高見陽一郎，松岡哲史，岡崎大祐，ほか：デュタステリドのカプセルおよびPTPシート汚染状況．医療薬学，42（7）：536-542, 2016.
3） 一般社団法人日本がん看護学会，公益社団法人日本臨床腫瘍学会，一般社団法人日本臨床腫瘍薬学会（編）：がん薬物療法における職業性曝露対策ガイドライン2019年版．pp.38-45，金原出版，2019.

（中山 季昭）

D HDの薬物動態　代謝と排泄

1 薬物体内動態(吸収・分布・代謝・排泄)

投与された薬剤が血液中に移行することを「吸収」という。吸収された薬剤が，血液に乗って全身に渡り，体の組織に行き渡ることを「分布」という。また，肝臓で薬物代謝酵素などによって分解されることを「代謝」といい，その後，尿や糞便とともに体外に出されることを「排泄」という(図 1-8)。HDの曝露対策では，代謝と排泄が重要である。

1 ›› 代謝

薬剤は本来，体にとっては異物であり薬効(本書では抗がん作用)を示したあとはすぐに体外に排泄しなければならない。そのために薬剤は，生体内で変換(代謝)して排泄しやすいようにする。一般的に水溶性の薬剤は変化を受けずに未変化体のまま

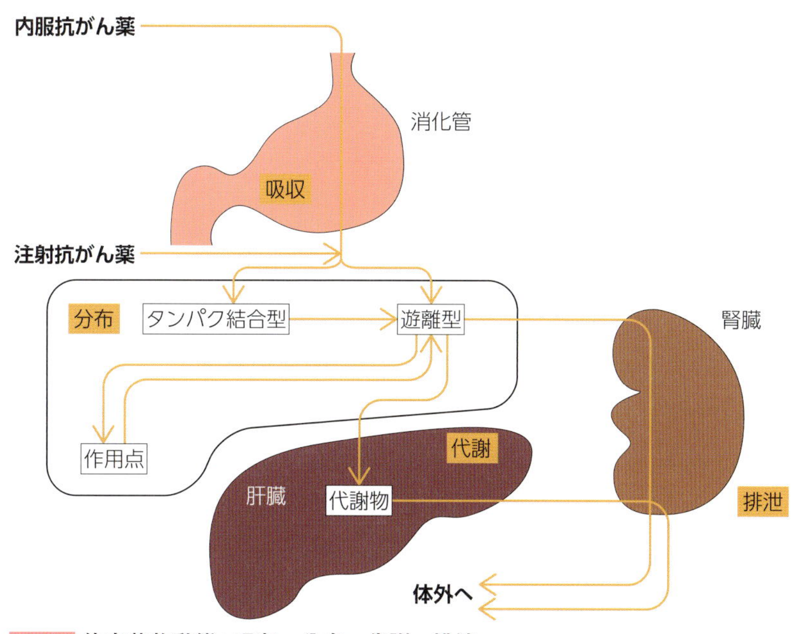

図 1-8 体内薬物動態：吸収・分布・代謝・排泄

表 1-7 内服薬代謝・排泄の例

一般名	販売名	尿中排泄率	糞便中排泄率
カペシタビン	ゼローダ錠	投与後24時間までに投与量の69～80%に相当する量が尿中に排泄された。そのうち未変化体の尿中排泄率は約3%を示し，FBALは約50%を示した。尿中への排泄は144時間で完了した	
レゴラフェニブ水和物	スチバーガ錠	未変化体の**グルクロン酸抱合体**として13%尿中排泄される	単回経口投与した際，投与量の90%が投与後12日以内に排泄され，71%が糞便中に排泄された。うち未変化体は47%，代謝物が24%であった

〔一般社団法人日本がん看護学会，公益社団法人日本臨床腫瘍学会，一般社団法人日本臨床腫瘍薬学会（編）：がん薬物療法における職業性曝露対策ガイドライン 2019 年版．pp.138-139，148-149，金原出版，2019 より抜粋〕

腎臓に排泄されるが，脂溶性の薬剤は体外に排泄されやすくなるように，水溶性の高い物質に変換（代謝）される。

抗がん薬の多くは脂溶性薬剤のため，何かに変換（代謝）されて体外へと排泄される。また抗がん薬の中には，変換（代謝）されたものが抗がん作用をもつものもある。薬剤を変換（代謝）するものの代表としては，薬物代謝酵素 CYP（チトクローム P450）で，多くの薬剤が CYP により変換（代謝）される。CYP は主に肝臓に存在し，30 種類以上のサブタイプがある。中でも CYP3A4 や CYP2D6 などが有名である。

もう 1 つの主要な薬物代謝酵素としては，グルクロン酸抱合酵素などがある。主に CYP によって代謝されたあと，一部の代謝物は，グルクロン酸やグリシンなどと結合をする。グルクロン酸に抱合された抱合体は水溶性が高く体外に排泄されやすくなる。『がん薬物療法における職業性曝露対策ガイドライン 2019 年版』の巻末資料にある排泄の項には，この抱合化されたものの排泄期間が記載されている（表 1-7）。

2 ›› 排泄

腎臓は，血液を濾過することで体内の有害な物質を排泄する。また，水分量を調節し，体液の成分で過剰になったものを排泄し，少なくなった成分を再吸収して取り込むことを行っている。水溶性の高い抗がん薬は，未変化体のまま腎臓から排泄される。脂溶性の高い抗がん薬は，代謝されて水溶性が高められた代謝物として尿中に排泄される。そのため，尿中に排泄される抗がん薬には，変化していない薬物（未変化体）と，変化した代謝物として排泄されるものがある。また，糞便中に排泄される場合もある。薬剤（抗がん薬）は肝臓で CYP によって代謝されたあと，グルクロン酸抱合や硫酸抱合されてから胆汁中に排泄される。胆汁中に排泄される薬物のうち，脂溶

表1-8 HD投与後の排泄期間

尿	
1〜2日間	カルボプラチン，クロラムブシル
2日間	フルオロウラシル，イホスファミド，メルファラン，メルカプトプリン水和物，トポテカン
3日間	ブレオマイシン塩酸塩，シクロホスファミド水和物，エピルビシン塩酸塩，エトポシド，フルダラビンリン酸エステル，イダルビシン塩酸塩，メトトレキサート，オキサリプラチン，プロカルバジン塩酸塩，テニポシド，チオテパ
4日間	カルムスチン，ビンブラスチン硫酸塩，ビンデシン硫酸塩，ビンクリスチン硫酸塩，ビノレルビン酒石酸塩
6日間	ドキソルビシン塩酸塩，ミトキサントロン塩酸塩
7日間	シスプラチン，ダウノルビシン塩酸塩
糞便	
2日間	ドセタキセル水和物，イダルビシン塩酸塩
4日間	ビンクリスチン硫酸塩
5日間	フルオロウラシル，シクロホスファミド水和物，エトポシド，メルカプトプリン水和物
7日間	ダウノルビシン塩酸塩，ドキソルビシン塩酸塩，メルファラン，メトトレキサート，ミトキサントロン塩酸塩，ビンブラスチン硫酸塩，ビノレルビン酒石酸塩

〔一般社団法人日本がん看護学会，公益社団法人日本臨床腫瘍学会，一般社団法人日本臨床腫瘍薬学会(編)：がん薬物療法における職業性曝露対策ガイドライン2019年版．pp.122-149，金原出版，2019を参考に作成〕

性のものは小腸上部で再び吸収され，肝臓に取り込まれ腸管循環を形成する。代謝されにくいものは糞便中に排泄される。

『がん薬物療法における職業性曝露対策ガイドライン2019年版』には，表1-8のようなHD投与後の排泄期間が掲載されてはいるが，前述したように，抗がん薬は投与すると体内でさまざまな工程を経て排泄される。患者の個々の動態，投与方法によって異なるため，表1-8に掲載されている期間を過ぎたから完全に安全というわけではない。

代謝と排泄の例を挙げる。内服抗がん薬であるカペシタビンはそのままでは抗腫瘍効果を示さず，代謝により変換されたものが抗腫瘍効果を示す。いわゆるプロドラッグである。酵素①によって5'-DFCR，酵素②によって5'-DFURに変換される(図1-9)。その後5FUとなり抗腫瘍効果を示す。5FUは異化経路で代謝されて5-FUH_2，FUPAおよびFBALとなる。

『がん薬物療法における職業性曝露対策ガイドライン2019年版』の巻末の「資料2　本邦注射抗がん薬の生殖発生毒性試験と排泄率(インタビューフォームから抜粋)」「資料3　本邦内服抗がん薬の生殖発生毒性試験と排泄率(インタビューフォームから抜粋)」(表1-7)に記載されている，「カペシタビン1,250 mg/m^2を経口投与した場

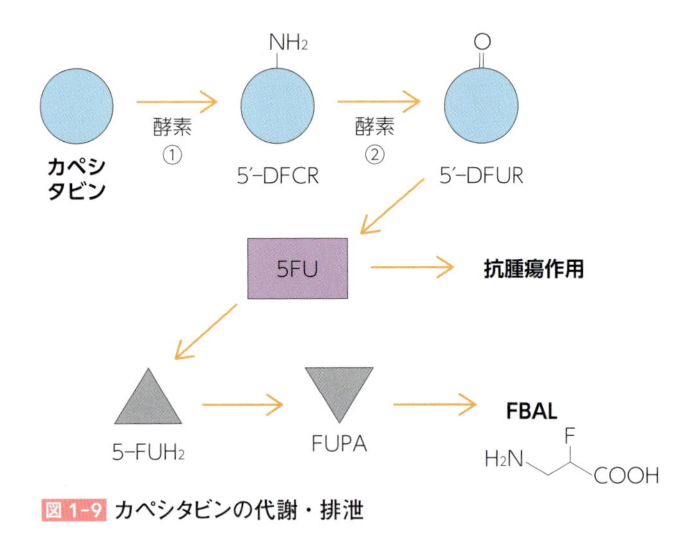

図1-9 カペシタビンの代謝・排泄

合，投与後24時間までに投与量の69～80%に相当する量が尿中排泄された。このうち未変化体の尿中排泄率は約3%と低値を示し，FBALは約50%を示した。尿中の排泄率は約144時間で完了した」は，「投与後24時間までに，投与した1,250 mg/m^{2}のうち69～80%が尿から排泄された。そのうち未変化体（カペシタビン）は3%であった。さまざまな酵素により代謝されたFBALが50%であった。144時間以降は尿から検出されなかった」を意味している。

参考文献

1）一般社団法人日本がん看護学会，公益社団法人日本臨床腫瘍学会，一般社団法人日本臨床腫瘍薬学会（編）：がん薬物療法における職業性曝露対策ガイドライン 2019年版．金原出版，2019.

（野村 久祥）

E HDが医療従事者の健康に及ぼす影響

HDのうちアルキル化剤に分類される抗がん薬は，元々第一次世界大戦中に使用された毒ガス兵器，マスタードガス（mustard gas）を起源としている。皮膚をただれさせる毒ガス兵器として使用されていた本剤は，皮膚以外にも消化管や造血器に障害を起こすことが知られており，その造血器に対する作用を応用したものが，ナイトロジェンマスタードとして開発された抗がん薬である[1)]。このことからわかるように人体への毒性は強い。皮膚への局所傷害性をもつことはもちろん，それ以外にも消化管や造血器障害を引き起こす。

このような毒性の強いHDはアルキル化剤に限らない。なぜなら，殺細胞性とされる抗がん薬の多くはDNAの合成阻害や損傷，細胞分裂の障害，栄養供給阻害などの作用によりがん細胞を攻撃する機序を有しており，ほとんどの場合これらの作用は正常細胞にも及ぶからである。また，抗がん薬以外でも発がん性，催奇形性等の毒性が確認されている薬剤が散見されている。

このような毒性をもつHDであるから，過去にはこれらを取り扱ったことによる医療従事者の健康被害報告が相次いだ。そのため米国労働安全衛生研究所（NIOSH）は，2004年に「医療現場において危険な医薬品を使用したり，そのそばで作業をしたりすることにより，皮膚発疹，不妊症，流産，先天性異常，および白血病その他のがんを発症するおそれがある」という警告を発出し，注意喚起を行った（NIOSH Alert）[2)]。

もちろん，HDによる健康被害はHDを治療に使用する患者自身にも及び，催奇形性や抗がん薬治療後の2次発がんとして現れることがある。しかし，患者においては薬物療法による抗腫瘍効果というメリットの享受がある。そのため，薬を使用するメリットがデメリットを上回る場合に，可能な範囲での対策をとったうえで使用される。これに対し，医療従事者についてはHDを体内に取り込むメリットは皆無である。そのため，可能な限り体内への取り込みを防止しなければならない。

なお，NIOSHではHDを「取り扱うことで医療従事者に健康被害をもたらす可能性のある薬剤」と定義し，そのリストを公表している。また，『がん薬物療法における職業性曝露対策ガイドライン2019年版』では，表1-2 （➡p.13）のように定義している。

ではHDの生物学的影響，健康に及ぼす影響にはどのようなものがあるのだろうか？

1 生物学的影響

1979年にFalckらが，HDの調製を行っていた看護師の尿から変異原性物質が有意に多く検出されたと報告したことを皮切りに，DNA損傷の増加や染色体異常，姉妹染色分体交換頻度の増加等，医療従事者における生物学的影響を示唆する研究結果が数多く報告されている[3-7]。また，国内においても2006年にYoshidaらが，抗がん薬を日常的に取り扱う看護師（19名）と，同じ病院で抗がん薬を取り扱わない看護師（18名）の白血球DNA損傷度をコメットアッセイ法（➡COLUMN「コメットアッセイ法」）により比較し，前者のほうがDNA損傷度が有意に高いことを報告した[8]。続いて2008年には，Sasakiらが同様の報告をしている[9]。

このように，HDである抗がん薬は体内に取り込まれることにより，遺伝子損傷や染色体異常，尿中変異原性物質の増加といった生物学的影響を生じさせる。近年では，HD曝露による染色体の損傷はある特徴を示すとの報告もあり[10]，将来的にはHD曝露により生じた生物学的影響を特定できる可能性もある。

留意すべきは，このような生物学的影響は直接抗がん薬を取り扱った医療従事者だけでなく，同じ環境下で作業する者すべてに及ぶ可能性がある点である。1992年にSessinkらは，抗がん薬を直接的に取り扱っていない看護師の尿中から抗がん薬の成分が検出されたことを報告しており，その原因は抗がん薬による環境汚染と推測されている[11]。

COLUMN

コメットアッセイ法

変異原性を調べる試験法の1つで，細胞の遺伝子（DNA）の損傷度を測定する方法。DNAを蛍光色素で可視化し蛍光顕微鏡で観察する。その際，DNAに損傷や切断があるとDNA鎖がほぐれ，尾を引いたように見える。この尾の長さが長いほどDNAの損傷度が高いとされる。

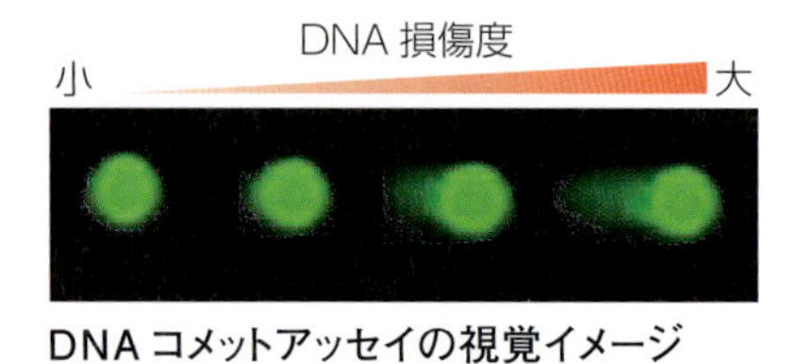

DNAコメットアッセイの視覚イメージ

2 健康に及ぼす影響

では，前記のような生物学的影響は最終的にどのような健康への影響をもたらすのだろうか？

殺細胞性抗がん薬に分類される一部のHDは，放射線曝露と類似した影響と経過をもたらすことが知られている。これは，放射線もアルキル化剤等の抗がん薬もともに，DNA主鎖切断や塩基への障害といったDNA損傷作用をもち，これが健康への影響をもたらす原因となるためである。なお，その症状は急性症状と長期的な影響に分けられる[12)]。

1 ›› 急性症状

急性症状は主に過敏性反応や皮膚炎，脱毛，頭痛，悪心等の症状として現れる。休日などHDの取り扱い業務を離れる曝露の回避期間を設けると回復する特徴がある。放射線曝露による急性症状は，「確定的影響」に分類されており，“しきい線量”

COLUMN

労働災害事例

抗がん薬（シタラビン）の調製に適切な安全キャビネットを使用していなかったため，調製業務を行っていた薬剤師の両腕に浮腫性紅斑，両下肢は紫斑を伴う紅色丘疹，頸部と顔面に皮疹が出現し瘙痒感を伴ったほか，眼脂・結膜炎・倦怠感・熱感・呼吸困難が出現し，地方公務員災害補償基金にて公務災害と認定された報告がある。

使用していた安全キャビネットは室内排気型（クラスⅡ A1）であり，内部のエアーを孔径 0.22 μm の HEPA フィルターを介した後，機械上面から排気するタイプであったが，その排気口付近に部屋の空調排気口があり，結果的に気化薬剤が調製者に降り注ぎ吸入したものと考察している。なお，この薬剤師は通常の PPE（ガウン，メガネ，マスク，キャップ，ラテックス製二重手袋）を装着していた。

しかしながら，一般的に気化した薬剤の粒子径は 0.003 μm 以下といわれており，作業者が身に着けているサージカルマスクはもちろん N95 マスクや安全キャビネットの HEPA フィルターを介してもその吸入を防止することはできないことが知られている。この点についても注意喚起する報告である。

なお，当該施設はこのあと，安全キャビネットの移動とクラスⅡ B2（100%外排気型）への変更，そして作業者の交代制の導入といった改善策を講じ，被害は収束したことを報告している。

が存在する。"しきい線量"とは，ある一定以上の曝露が生じた場合に症状が生じるが，ここまでなら影響がないという閾値である[12)]。

HDについてみてみると，1966年にHDの調製・投与に携った医療従事者より，皮膚炎・色素沈着などの急性中毒症状が報告されて以降，急性症状の発症に関する報告は古くからある[13-15)]。これらはいずれも，個人防護具(PPE)を使用していなかったか，不十分であったことが原因と推察されている。一方，曝露対策が普及してきた近年では急性症状の報告は少なくなってきている。これらのことから，明らかではないがHDによる急性症状も閾値が存在すると考えられている。

なお近年，国内においてHDの不適切な取り扱いにより急性症状が生じ，労働災害に認められた報告がある。この報告では，安全キャビネットの構造と設置上の問題から，調製作業者が一定量以上のHDを吸入したためにさまざまな身体症状が生じたと推察されている[16)](➡COLUMN「労働災害事例」)。

2 ›› 長期的影響

長期的な影響は，発がんや不妊，催奇形性等として現れる。長期的影響は放射線曝露，HD曝露ともに「確率的影響」に分類され，「ここまでは安全」という閾値は存在しないと考えられている。ただし，長期的影響についての前向き試験での実証は現実的に不可能であるため，放射線曝露による長期的影響は原爆や事故による放射線被曝者の疫学調査と動物実験の発がん率を基に算出され，HD曝露による長期的影響はHDを使用した患者の二次発がん率と動物実験の結果を基に算出された予測研究である。いずれも微量な曝露による長期的影響は明らかでないが，曝露量に比例して発がん率が増加するという予測の下に算出されている[12, 17)]。

■妊娠・出産への影響

長期的な影響のうち，妊娠・出産に関する報告は症例対照研究や横断研究が主であるうえ，結果にばらつきがあり確定的な見解は得られていない。ただし，過去の報告ではHDの取り扱いによる不妊や流産，早産，低体重出生児等のリスク増加が報告されているものの，近年になるほど影響がないとの報告が増えている[18-20)]。これは曝露対策の普及により影響が現れにくくなった可能性が考えられる。

ここで，妊娠時における薬の影響を図1-10に示す。

一般的に妊娠週(妊娠日数)は女性の最終月経開始日を0週0日としてカウントする。このカウントにおいて，通常，妊娠33日目までは薬の影響が残らない期間となる。これは，一般的に妊娠14日目に排卵・受精した受精卵は34日目に着床するが，仮に受精卵に何らかの異常があった場合，その受精卵は着床できず，妊娠自体が成立しないためである(all or none の法則)。ただし，all or none の法則は，催奇形性の発生率がゼロになるのではなく，通常の催奇形性率(約4%)と変わらないだけである点

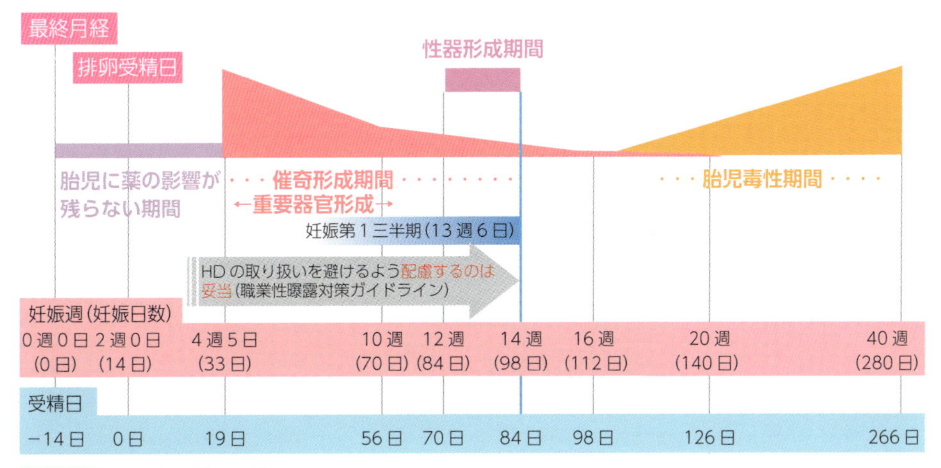

図 1-10　妊娠時の薬の影響

を誤解してはならない。なお，この時期を過ぎると胎児は催奇形性の臨界期に入る。

では，妊娠前の薬の影響はどうだろうか？　女性の場合，残留性のないHDによる妊娠前の薬剤曝露はall or noneの法則により催奇形性に影響しないと考えられる。ただし，残留性のある薬剤の場合は妊娠前の期間も注意が必要となる。また，妊娠を試みても不妊が続く場合，薬剤曝露により受精卵に異常が生じall or noneの法則により妊娠として成立していない可能性があるため薬剤曝露を避けるための対策を講じることが推奨される。

一方，男性については，all or noneの法則から考えると残留性のある薬剤を除きHDによる催奇形性の影響はないと考えられる[21]。

なお，このような妊娠時における薬の影響は，あくまで過去に催奇形性等のある薬剤を使用した患者の事例を基にまとめられた報告である。抗がん薬曝露ではごくわずかな薬剤が長期間にわたって体内に取り込まれる点，つまり1回摂取量と摂取期間がこれらの報告とは異なる点に注意が必要となる。

一般的に曝露対策が十分であれば，事故的事象が生じない限り一度に大量の薬剤が取り込まれることはありえない。そのため，妊娠初期にHD薬を取り扱ったからといって催奇形性等の影響が生じる可能性は低く，過度の心配は不要と考えられる。ただし，長期曝露により妊娠後期の胎児発育不良等が生じる可能性もあるため，妊娠中は継続して，環境からの曝露対策も含めた十分な曝露対策が必要となる。

■発がんリスクへの影響

WHO（世界保健機関）付属のIARC（国際がん研究機関）では，さまざまな物質の発がんリスクを発表している（➡ 表1-3 p.13）。それによると，シクロホスファミド，タモキシフェン，チオテパ，ブスルファン，メルファラン，エトポシド，シクロスポリン等多くのHDが，「人に対する発がん性が認められる」とされるGroup 1に分類さ

	目標レベル			禁止レベル
尿中シクロホスファミド量 (μg/24 時)	<0.02	0.02–0.2	0.2–2.0	>2.0
シクロホスファミド汚染量 (ng/cm²)	<0.1	0.1–1.0	1.0–10	>10
曝露防止対策		注意喚起	即時対応	業務停止
モニタリング	時々	必要	必要	必要

図 1-11 オランダにおけるシクロホスファミドの環境汚染リスク指標
〔Sessink PJM：Environmental contamination with cytostatic drugs：past, present and future. Safety Considerations in Oncology Pharmacy (special ed.)：2 (Table 1), Fall 2011.〕

れている[22]。

しかしながら，その発がん率については，エビデンスの高い前向き試験を実施することが不可能であり，明確な数字として得られていない。ただ，シクロホスファミド(CPA)を治療で使用した患者の二次発がん率と動物実験の結果から推定した報告では，1 日当たり 3.6-18μg の CPA を摂取した場合，がん発症率は 100 万分の 100-600 増加するとされている[17]。

オランダではこの報告を基に，年間のがん発症増加率 100 万分の 1 以下を目標レベルに設定しており，そのためには尿中 CPA 量を 0.02μg/24 時間以下，環境中 CPA 量を 0.1 ng/cm^2 以下にする必要があるとしている。また，上限として年間のがん発症増加率 1 万分の 1 以上を業務停止レベルに設定しており，尿中 CPA 量 2.0μg/24 時間以上，環境中 CPA 量 10 ng/cm^2 以上がこれに該当する（図 1-11）[23]。

日本に同様の基準は存在しないが，健康への影響が確率的影響として生じるのであれば，実現可能な範囲でできる限り曝露量の低減を目指す必要があることがわかる。

引用文献

1) Waitt AH, et al.：Nitrogen mustard gas：first aid measures and treatment. American Journal of Nursing, 43 (7)：641-643, 1943.
2) National Institute for Occupational Safety and Health：NIOSH Alert：Preventing Occupational Exposures to Antineoplastic and Other Hazardous Drugs in Health Care Settings. U. S. Department of Health and Human, 2004.
3) Falck K, Gröhn P, Sorsa M, et al.：Mutagenicity in urine of nurses handling cytostatic drugs. Lancet, 313 (8128)：1250-1251, 1979.
4) Norppa H, Sorsa M, Vainio H, et al.：Increased sister chromatid exchange frequencies in lymphocytes of nurses handling cytostatic drugs. Scandinavian Journal of Work, Eenvironment & Health, 6：299-301, 1980.
5) Waksvik H, Klepp O, Brøgger A：Chromosome analyses of nurses handling cytostatic agents, Cancer treatment reports, 65 (7-8)：607-610, 1981.

6) Oestreicher U, Stephan G, Glatzel M：Chromosome and SCE analysis in peripheral lymphocytes of persons occupationally exposed to cytostatic drugs handled with and without use of safety covers. Mutation Research, 242 (4)：271-277, 1990.
7) Goloni-Bertollo EM, Tajara EH, Manzato AJ：Sister chromatid exchanges and chromosome aberrations in lymphocytes of nurses handling antineoplastic drugs. International Journal of Cancer, 50 (3)：341-344, 1992.
8) Yoshida J, Kosaka H, Tomoka K, et al.：Genotoxic risks to nurses from contamination of the work environment with antineoplastic drugs in Japan. Journal of Occupational Health, 48 (6)：517-522, 2006.
9) Sasaki M, Dakeishi M, Hoshi S, et al.：Assessment of DNA damage in Japanese nurses handling antineoplastic drugs by the comet assay. Journal of Occupational Health, 50 (1)：7-12, 2008.
10) McDiarmid MA, Oliver MS, Roth TS, et al.：Chromosome 5 and 7 abnormalities in oncology personnel handling anticancer drugs. Journal of Occupational and Environmental Medicine, 52 (10)：1028-1034, 2010.
11) Sessink PJ, Boer KA, Scheefhals AP, et al.：Occupational exposure to antineoplastic agents at several departments in a hospital. Environmental contamination and excretion of cyclophosphamide and ifosfamide in urine of exposed workers. International Archives of Occupational and Environmental Health, 64 (2)：105-112, 1992.
12) Valentin J (Ed.)：The 2007 Recommendations of the International Commission on Radiological Protection, ICRP Publication 103.
13) Frost P, DeVita VT：Pigmentation due to a new antitumor agent. Effects of topical application of BCNU [1, 3-bis (2-chloroethyl) -1-nitrosourea]. Archives of Dermatology, 94 (3)：265-268, 1966.
14) McDiarmid M, Egan T：Acute occupationalexposure to antineoplastic agents. Journal of Occupational Medicine, 30 (12)：984-987, 1988.
15) Valanis BG, Vollmer WM, Labuhn KT, et al.：Acute symptoms associated with antineoplastic drug handling among nurses. Cancer Nursing, 16 (4)：288-295, 1993.
16) 近藤昌子，川上典子，長山晃，ほか：シタラビンが原因と推定される職業性被曝を受けた薬剤師の事例．日本病院薬剤師会雑誌，47 (10)：1255-1259, 2011.
17) Sessink PJ, Kroese ED, van Kranen HJ, et al.：Cancer risk assessment for health care workers occupationally exposed to cyclophosphamide. International Archives of Occupational and Environmental Health, 67 (5)：317-323, 1995.
18) Hemminki K, Kyyrönen P, Lindbohm ML：Spontaneous abortions and malformations in the offspring of nurses exposed to anaesthetic gases, cytostatic drugs, and other potential hazards in hospitals, based on registered information of outcome. Journal of Epidemiology and Community Health, 39 (2)：141-147, 1985.
19) Selevan SG, Lindbohm ML, Hornung RW, et al.：A study of occupational exposure to antineoplastic drugs and fetal loss in nurses. New England Journal of Medicine, 313 (19)：1173-1178, 1985.
20) Quansah R, Jaakkola JJ：Occupational exposures and adverse pregnancy outcomes among nurses：A systematic review and meta-analysis. J Womens Health (Larchmt)：19 (10)：1851-1862, 2010.
21) 林 昌洋，佐藤孝道，北川浩明(編)：実践　妊娠と薬(第2版)．pp.3-18，じほう，2010.
22) IARC：Agents Classified by the IARC Monographs, Volumes 1-124.
https://monographs.iarc.fr/agents-classified-by-the-iarc/ (2020年1月27日アクセス)
23) Sessink PJM：Environmental contamination with cytostatic drugs：past, present and future. Safety Considerations in Oncology Pharmacy (special ed.), Fall 2011.

(中山 季昭)

F 職業性曝露の経路・機会とその対策

1 HD 曝露の経路

HD はさまざまな経路から体内に吸収され，職業性曝露が生じることが知られている。その吸収経路として，HD が皮膚に付着することによる経皮吸収のほか，吸入，経口摂取，飛沫による眼からの吸収や針刺し事故による吸収等が考えられる。

1 ›› 経皮吸収による曝露

経皮吸収による曝露は，HD による職業性曝露の主要経路である。主に調製担当者が被る曝露経路と考えられることが多いが，個人防護具（PPE）で完全防護している調製担当者は，使用している PPE の不備や着脱時の不手際がない限りこの経路による曝露を受ける可能性は低い。むしろ，調製済み輸液バッグの取り扱いや HD 投与時のビン針の抜き差し，プライミング，ポートやストマのケア，患者の排泄物やリネンの取り扱い，調製前の外包装状態の HD 取り扱い等が経皮吸収による曝露の機会となりうる。

そのため，このような HD を取り扱うすべての場面で適切な PPE を装着するとともに，HD 取り扱い後は HD 除去のため石けんと流水を用いて手をこすり洗いする必要がある。速乾性の手指消毒剤を使用するだけでは HD の除去はできない。なお，HD によっては皮膚に付着後比較的短時間で吸収されてしまうものもあり，作業終了後に手指洗浄を行うだけでは経皮吸収による HD 曝露防止はできない。そのため，何より皮膚に付着させない対策を優先させるべきである。万一，皮膚に付着した際には，作業の終了を待つことなくすみやかに洗浄する必要がある。

2 ›› 吸入による曝露

HD の中には気化するものもあり危険性が指摘されているが，通常その濃度は決して高いものではない。ただし，気化した抗がん薬の粒子径は非常に小さく，安全キャビネットの HEPA フィルターや N95 マスク等を使用しても気化薬剤からの曝露は防止できないため，別の対策（「2. 気化薬剤による曝露の対策」➡ p.41）が必要となる[1, 2]。

これに起因する労働災害は前項のCOLUMN「労働災害事例」(➡ p.33)に紹介したとおりである。粉体のHDであれば，N95マスクを使用することで曝露防止効果が期待できる[3)]。

3 ›› 経口摂取による曝露

HD取り扱いエリアに食品等を持ち込んだ場合，持ち込んだ食品等自体が曝露汚染される可能性がある。また，手指にHDが付着した状態で飲食を行うと，HDを経口摂取してしまう可能性が高まる。そのため，HD取り扱いエリア内での飲食は，喫煙・ガム等も含めて避けるべきである。なお，HD取り扱い後の手指洗浄は，経口摂取による曝露防止とHD取り扱いエリア外の環境汚染防止を目的に実施する。

4 ›› 飛沫による眼からの曝露

HDの飛沫が眼に入った場合，皮膚に比べて吸収速度は速いため，万一に備えて眼を洗浄できる洗眼液や器材を揃えておく。HDの飛沫が眼に入った場合には，すみやかに15分以上の洗浄を行う。しかし何より，眼に入らないようにする対策が最も重要となる。

5 ›› 針刺し事故による曝露

HDによる針刺し事故時の影響について明確にはなっていない。しかしながら，感染リスクと異なり，急性症状についても長期的な影響についても体内に吸収された量と相関すると考えられるため，単回の針刺し事故であればHDを注入しない限り症状として現れる可能性は低いと考えられる。

針刺し事故が起こった際，HDが注入された可能性がある場合には可能な限り排出して受診，必要に応じて血管外漏出時のリスク分類に従った対処を検討する。

2 HD曝露の機会

HD曝露が生じる機会は調製時だけではない。調製後の運搬，保管，投与，廃棄，患者のケア等はもちろん，調製前のHD外包装が汚染されているとの報告もあることから，HDの納品や取り揃え時も職業性曝露の機会となる可能性がある[4)]。HD曝露機会の例を図1-12に示す。

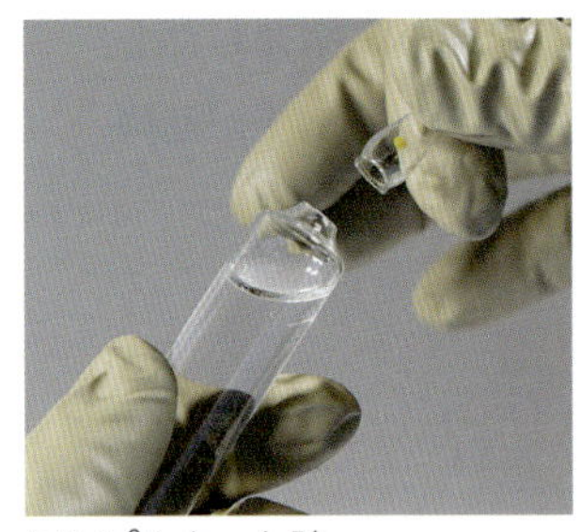
アンプルカット時

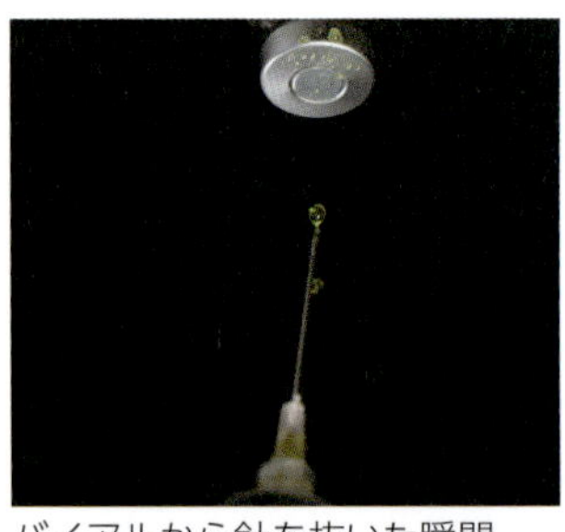
バイアルから針を抜いた瞬間

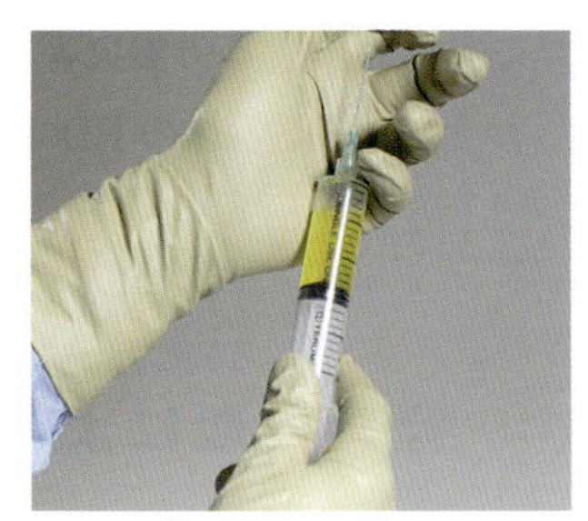
シリンジからのエア抜き

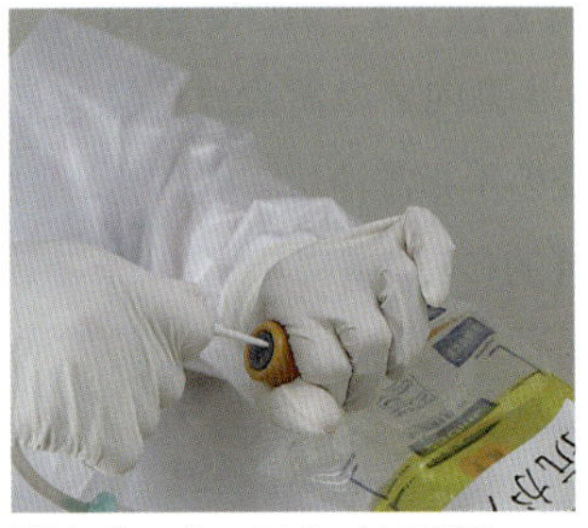
輸液バッグへのビン針の挿入

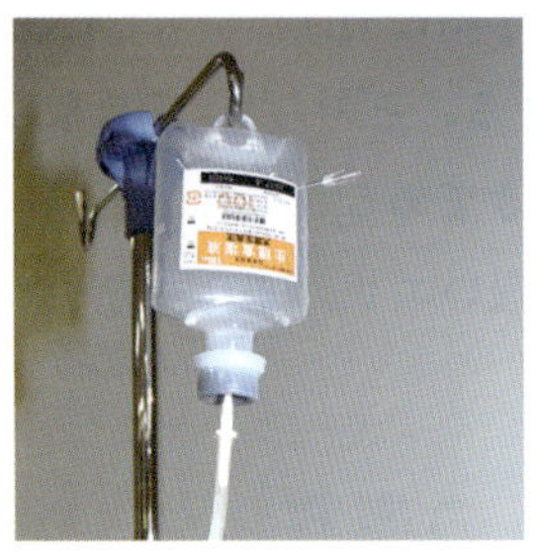
輸液ボトルへのエア針の刺入

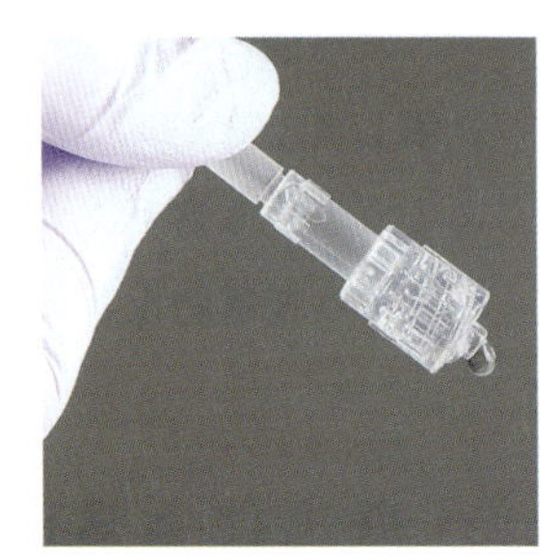
プライミング

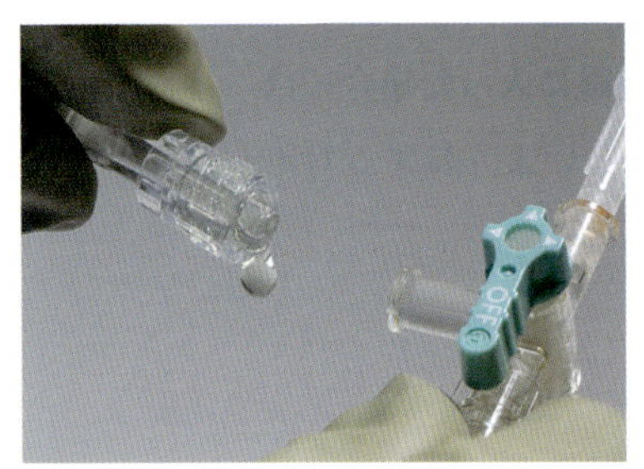
側管の接続

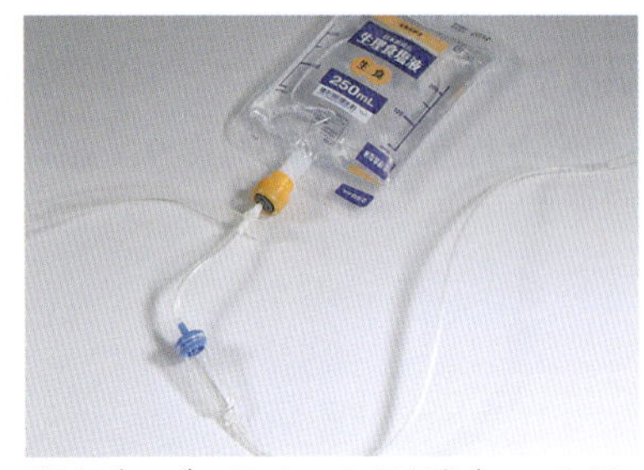
輸液バッグ・ラインの廃棄(ビニール袋に入っていない状態)

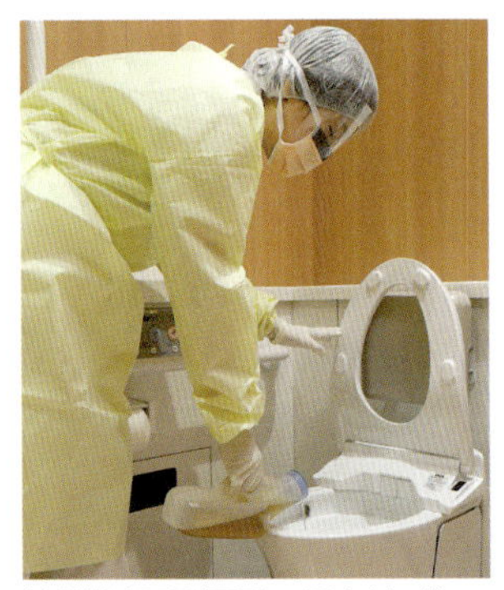
排泄物処理(尿器の尿を流す)

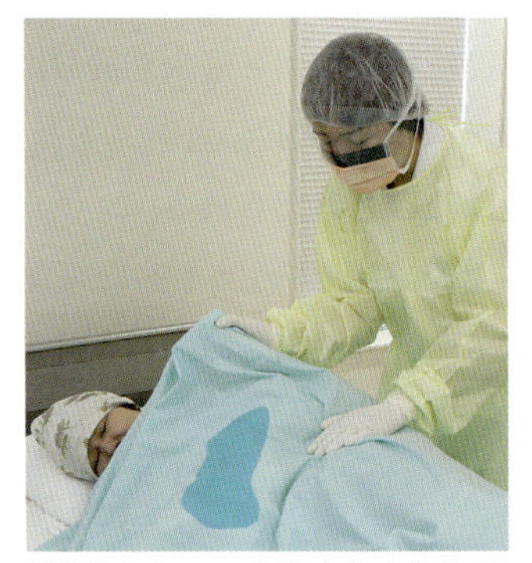
汚染したシーツや寝衣をまとめているとき

図 1-12 HD曝露の機会
〔撮影協力(手技):前 国立がん研究センター東病院薬剤部　野村久祥先生〕

また，環境曝露が生じた場合，直接HDを扱っていない職員にも職業性曝露が起こる可能性がある[5)]。そのため，HDを取り扱う一連の作業すべてにおいて，医療従事者だけでなく清掃業者，洗濯業者，廃棄物処理業者等も含めた曝露防止対策を行うとともに，環境曝露を生じさせない対策も行う必要がある[6]。

1 ›› 調製後の運搬と保管時の曝露対策

調製済み輸液バッグ外面がHD汚染していると，主要な曝露原因となる。これを防止するには，調製時におけるCSTDの使用が最も効果的である。調製時のCSTD使用は，安全キャビネット内での輸液バッグ外面汚染を防ぐことにより，調製者以降，HDを取り扱う作業者の職業性曝露防止に有効と理解しておく必要がある。なお，すべてのHD調製にCSTDを使用していない場合等，輸液バッグ外面の汚染が否定できない場合は，調製後に輸液バッグ外面の拭き取りを行う等，汚染を取り除く対策や，輸液バッグ自体を密封し，搬送，投与，廃棄まで取り出さずに取り扱う等の対策を行うことで調製済み輸液バッグからの曝露リスクを軽減できる(COLUMN「ジッパー付きプラスチックバック」➡p.132)。

2 ›› 気化薬剤による曝露の対策

安全キャビネットのHEPAフィルターやN95マスク等では気化した薬剤の吸入は防止できないため，気化薬剤を発生させない対策が重要となる。

調製時であれば，CSTDや完全外排気型安全キャビネットの使用がこの対策となる。CSTDを使用しない通常調製の場合は，バイアル内の陽圧や過度の陰圧を避けることでHDを含んだエアの発生をある程度抑制できるが，十分ではないため完全外排気型の安全キャビネット使用が必須となる。

投与時においては，エア針の使用を避けるべきである。そのためにはあらかじめソフトバッグ等，エア針を使用する必要がない容器の輸液製剤を選択したうえで，バッグ内にある程度のエアを残して調製する必要がある。もちろん投与時のCSTD使用は，より効果的な気化薬剤からの曝露防止対策となるため，USP〈800〉においても投与時のCSTDは“使用しなければならない”と記載されている。

一方，粉体のHDの場合，ある程度の粒子径がありN95マスクによる曝露防止効果が期待できるため，内服散剤の調剤だけでなく内服介助の際にも呼吸器防護具としてN95マスクを使用することが推奨されている[7]。

また，HD廃棄物やHD投与を受けた患者の排泄物・汚染したリネン等を取り扱う際は，可能な限り密封して取り扱う方策を検討する。

3 ›› HD取り扱いエリアの管理

HD取り扱いエリア内で飲食・喫煙をすることはもちろん，化粧を行うこともHD

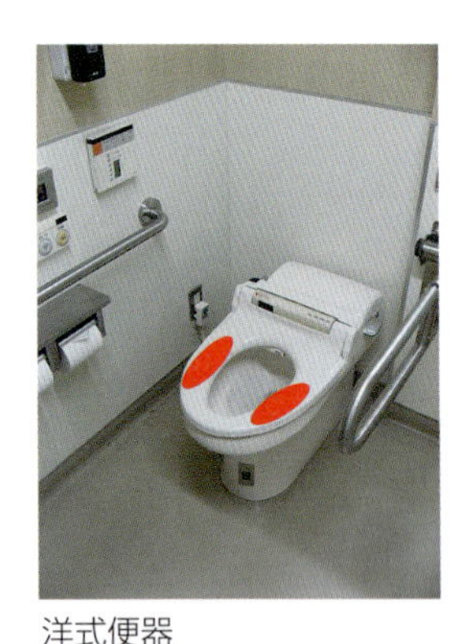

洋式便器
＊便座の汚染度が高い

和式便器
＊足もとの汚染度が高い

男性用小便器
＊足もとの汚染度が高い

図 1-13 便器周辺の抗がん薬汚染
〔森本茂文，藤井千賀，吉田仁．ほか：抗がん薬の安全取り扱いに関する指針作成のための医療機関における排泄物による汚染実態調査．日本病院薬剤師会雑誌，48（11）：1339-1343，2012 を参考に作成〕

を皮膚に塗る行為になりかねないため避けるべきである。

さらに，HD 取り扱いエリア外に HD 汚染を持ち出してしまった場合，環境汚染が生じ，HD の調製や投与の担当者以外も経口摂取や経皮吸収による曝露被害を受ける可能性が生じるため，HD を持ち出さない対策が重要となる。具体的には，HD 取り扱いエリアへの立ち入りはトレーニングを受けた職員に制限し PPE を装着したままの一般環境への退出を避ける[8]，必要に応じて靴カバーやキャップを使用する等の対策で HD の持ち出しリスクを軽減できる[9]。

HD 投与患者の使用するトイレに関して，洋式便器では便座が，和式便器および男性用小便器では足もとの汚染度が高いことが報告されている（図 1-13）[10]。そのため，洋式便器使用時は使い捨ての便座シートや便座クリーナーの使用を，和式便器および男性用小便器の設置場所は履き物の履き替え等を検討するとともに，汚染しやすい箇所について清掃担当者へ周知し，適切な汚染除去を実施する必要がある。

4 ›› 薬液飛沫による曝露の対策

HD の調製時は，安全キャビネット手前付近での操作を避ける必要がある。安全キャビネットの気流は気化した HD の流出防止には効果があるが，スプラッシュが生じた場合，その流出を防止することはできないためである。

飛沫による眼からの曝露は調製時だけでなく，ビン針の抜き刺しでも生じやすい。そのため原則としてオープン環境でのビン針の抜き刺しは行わない。投与時に CSTD を使用することが輸液交換時の飛沫発生リスク低減に有効である。やむを得ずビン針の抜き刺しを行う場合は，PPE を装着し目線より明らかに下の位置において，飛沫が眼に入らないようプラスチックバッグ等の中で行う。

また，内服介助においては，患者がHD服用後，吐き出してしまって眼に入る可能性もあるため，PPEの使用が必要となる。その際，薬液飛沫による眼からの曝露防止にはフェイスシールドやゴーグルの使用が推奨される。通常の眼鏡では防護範囲が狭いうえ，汚染時にその汚染の除去が困難となるため不十分である。

5 ›› 針刺し事故による曝露の対策

針刺し事故防止に関して，感染対策の観点からはリキャップを避けることが推奨されている。そのため使用した注射針は手を触れずにはずし，針捨て容器に廃棄する方法が一般的であり，ヒト血液からの感染防止に有効である。ただしHDの場合，針捨て容器の中に廃棄した注射針からHDが気化し，吸入によって曝露してしまう懸念があるため，ジッパー付きプラスチックバッグ等に密封して廃棄する方法が推奨されている[7]。密封するためには注射針にリキャップする必要が生じるが，その際，作業台に置いて針先でキャップを拾い上げる方法を用いると，作業環境の曝露汚染を引き起こす可能性があるため推奨できない。そのため，環境汚染と針刺し事故がともに起こらない手技にてリキャップを行う（図 1-14）[11]。

血液からの感染予防とHDによる曝露の危険が共存している場合は，血液からの感染予防を優先しリキャップは行わない。ただし，蓋と本体の接続部にパッキンがあ

✕ 不適切なリキャップ手技（曝露防止の観点から）

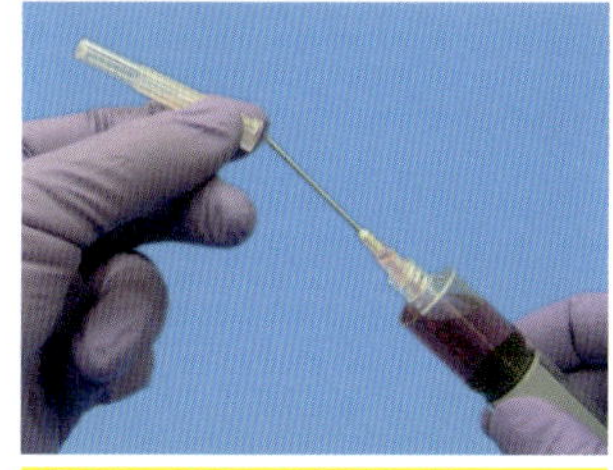

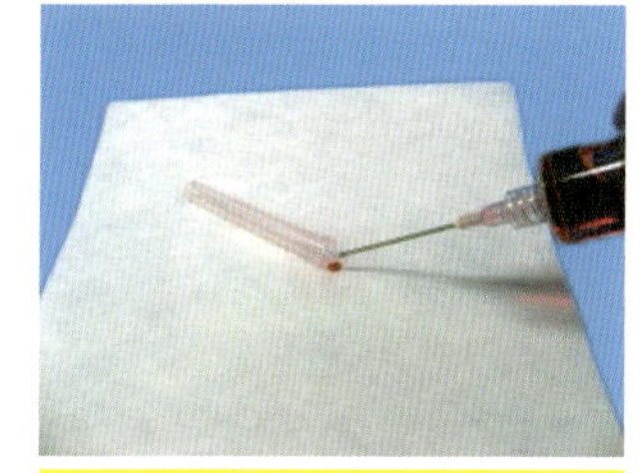

周囲を汚染する危険性がある

○ 針刺し事故防止と曝露防止に配慮したリキャップ操作の例

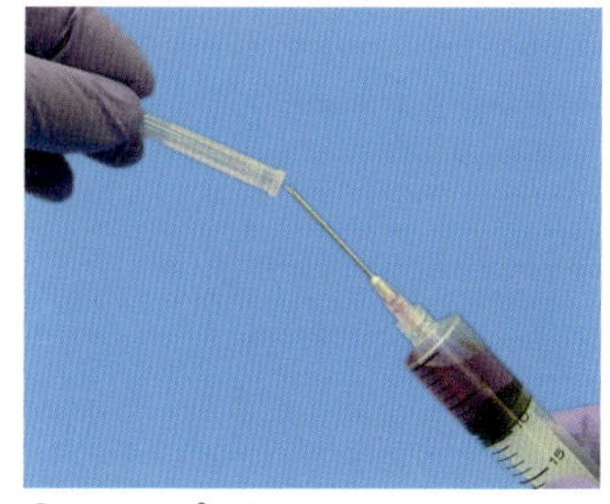

①キャップの頂部を持つ

→

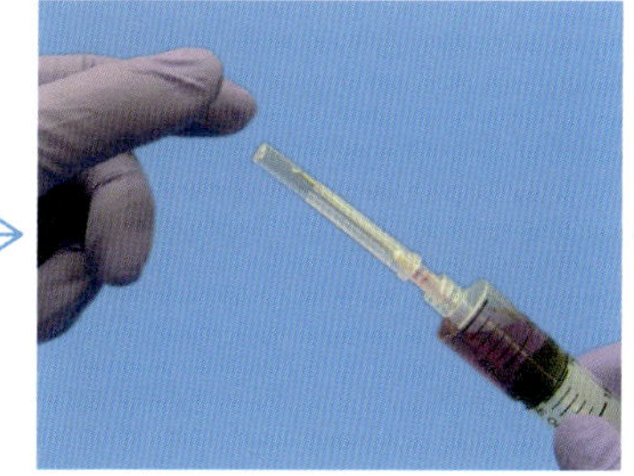

②針先にかぶせて落とす

→

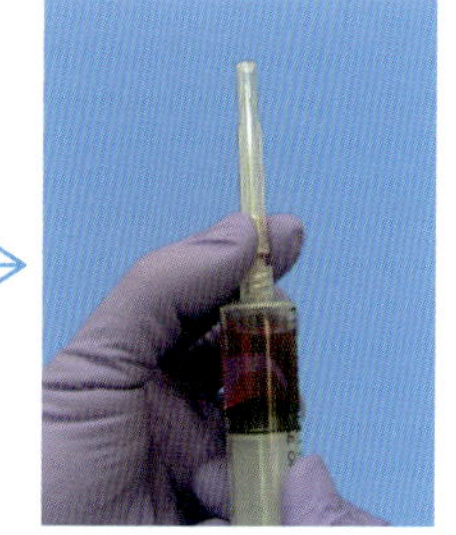

③ロックをはめる

図 1-14 リキャップについて

〔中山季昭：Point 8 リキャップについて．日本病院薬剤師会（監），遠藤一司，濱敏弘，加藤裕久，米村雅人，中山季昭（編著）：抗悪性腫瘍薬の院内取扱い指針 抗がん薬調製マニュアル 第4版．pp.31-32，じほう，2019を参考に作成〕

り気化流出しないタイプの針捨て容器を用いたうえで，こまめに蓋を閉じながら使用することが推奨される。用意できない場合は針捨て容器ごと密封する等の対策を検討する。

6 ›› 事故時（HDをこぼした時，破損した時）の曝露対策

事故の発生は，最も曝露量が大きくなりやすい曝露機会である。そのため，極力起こらないように対策する必要がある。HDはプロテクト包装が施された製品を採用し（図1-5 ➡ p.23），搬送する際は落としてもHDが漏出しない容器を用いることで曝露リスクを低減できる。

また，調製・投与時の事故防止にはCSTDの使用が有効である。ただし，CSTDは誤った使用方法がとれないような構造，または誤った使用方法をとってしまっても曝露しないような構造の器材を選択しなければならない。CSTDは「正しく使用した際の安全性」に目が向けられがちであるが，間違いは必ず起こるものであるから，「正しく使用すれば安全」という器材は全く安全ではない。

事故的な曝露が起こってしまった際に備え，HDを取り扱う区域ごとにスピルキットを用意しておき，すべての作業者が使用できるよう，使用方法についての教育を実施しておく。スピルキットを使用する際は，対応者の曝露対策を十分に行ったうえで，HDの除染，不活化を行う。通常，不活化剤の必要量は残存するHDの量に比例するため，不活化剤を使用する際は残存するHDをできるだけ減らしてからでないと十分な効果は得られない（スピルキットの使用方法については，第2章K「病院／クリニックにおける曝露対策 ⑥スピル時（HDがこぼれたとき）」➡ p.145）。

そのほか，第2章に示す各曝露機会における曝露対策とその詳細を適切に実施することが必要である。

引用文献

1）Rengasamy S, Eimer BC, Szalajda J：A quantitative assessment of the total inward leakage of NaCl aerosol representing submicron-size bioaerosol through N95 filtering facepiece respirators and surgical masks. Journal of Occupational and Environmental Hygiene, 11（6）：388-396, 2014.
2）Rengasamy S, Eimer BC：N95-companion measurement of cout/cin ratios for two n95 filtering facepiece respirators and one surgical mask. Journal of Occupational and Environmental Hygiene, 10（10）：527-532, 2013.
3）Davidson CS, Green CF, Gibbs SG, et al.：Performance evaluation of selected n95 respirators and surgical masks when challenged with aerosolized endospores and inert particles. Journal of Occupational and Environmental Hygiene, 10（9）：461-467, 2013.
4）Hedmer M, Georgiadi A, Bremberg ER, et al.：Surface contamination of cyclophosphamide packaging and surface contamination with antineoplastic drugs in a hospital pharmacy in Sweden. Annals of Occupational Hygiene, 49（7）：629-637, 2005.
5）Sessink PJ, Boer KA, Scheefhals AP, et al.：Occupational exposure to antineoplastic agents at several

departments in a hospital. Environmental contamination and excretion of cyclophosphamide and ifosfamide in urine of exposed workers. International Archives of Occupational and Environmental Health, 64(2)：105-112, 1992.
6) 一般社団法人日本がん看護学会，公益社団法人日本臨床腫瘍学会，一般社団法人日本臨床腫瘍薬学会(編)：がん薬物療法における職業性曝露対策ガイドライン 2019 年版. pp.66-67，金原出版，2019.
7) 前掲書 6)，pp.38-45.
8) United States Department of Labor, Occupational Safety and Health Administration：V. A. Hazardous Drug Safety and Health Plan. In Controlling Occupational Exposure to Hazardous Drugs. 2016.
https://www.osha.gov/SLTC/hazardousdrugs/controlling_occex_hazardousdrugs.html#haz_shp (2020 年 1 月 27 日アクセス)
9) 前掲書 8)，V. C. 3. Personal Protective Equipment.
https://www.osha.gov/SLTC/hazardousdrugs/controlling_occex_hazardousdrugs.html#personal (2020 年 1 月 27 日アクセス)
10) 森本茂文，藤井千賀，吉田　仁. ほか：抗がん薬の安全取り扱いに関する指針作成のための医療機関における排泄物による汚染実態調査. 日本病院薬剤師会雑誌，48(11)：1339-1343, 2012.
11) 中山季昭：Point 8 リキャップについて. 日本病院薬剤師会(監)，遠藤一司，濱　敏弘，加藤裕久，米村雅人，中山季昭(編著)：抗悪性腫瘍薬の院内取扱い指針 抗がん薬調製マニュアル 第 4 版. pp.31-32，じほう，2019.

（中山 季昭）

第2章

看護師が行うべき曝露対策

A ヒエラルキーコントロールの考え方

曝露対策において，諸外国のガイドラインではいち早く，医療における労働安全管理のリスクマネジメントに基づき，危険性を排除および最小限にするため「ヒエラルキーコントロール」(図 2-1) という概念が用いられている。

わが国に紹介されているヒエラルキーコントロールは，どのようなことを重視するかにより，本質は同じでも紹介の仕方が異なっている[1,2]。本項では，『がん薬物療法における職業性曝露対策ガイドライン 2019 年版』[3] に準じて説明する (ガイドラインは後述の ONS の考え方に倣っている)。

産業衛生の専門家は，「HD の効果的管理について健康を守るために，最も曝露対策の効果が見込まれるヒエラルキーの上層のほうから対策を立てる必要がある」と指摘している。

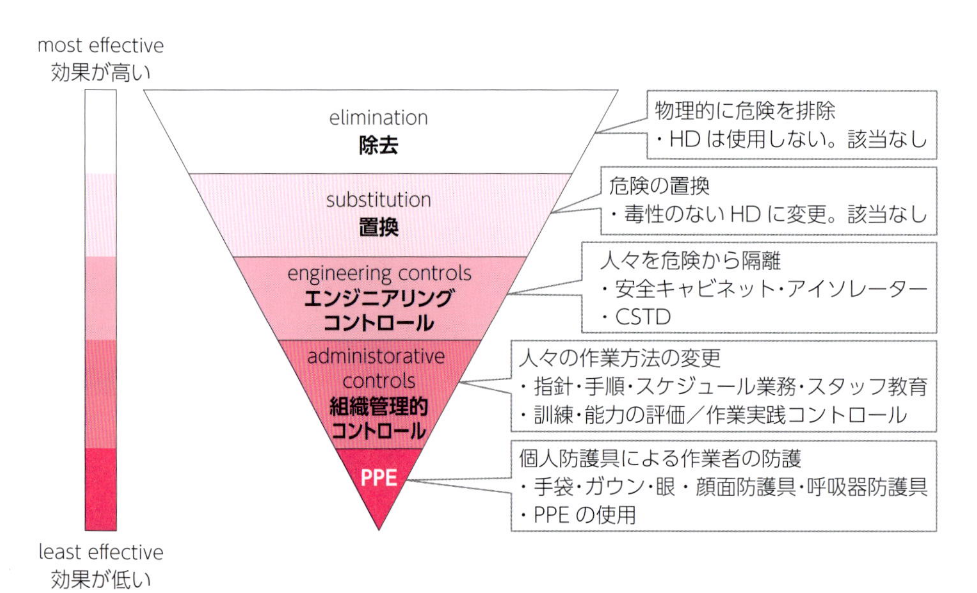

図 2-1 ヒエラルキーコントロール
〔UNITED STAYES DEPARTMENT OF LABOR 推奨プラクティス安全衛生プログラムより一部変更．
https://www.osha.gov/shpguidelines/hazard-prevention.html (2020 年 1 月 27 日アクセス) 一部改変．
一般社団法人日本がん看護学会，公益社団法人日本臨床腫瘍学会，一般社団法人日本臨床腫瘍薬学会：がん薬物療法における職業性曝露対策ガイドライン 2019 年版．p.5，金原出版．2019.〕

1 ISOPPの考え方

ISOPP(International Society of Oncology Pharmacy Practitioners)では，薬剤師の視点から，調製の場面で，まず「防護による曝露源の封じ込め」(prevention)を行うことが重要であると考えている[4]。

2 ONSの考え方

一方，米国がん看護学会(Oncology Nursing Society：ONS)では，看護師の視点から，投与や患者ケアの場面での「拡散防止・曝露防止など保護」(protection)に重点を置いている[5]。

そして，ONSでは米国労働安全衛生研究所(National Institute of Occupational Safety and Health：NIOSH)に従って5階層に分けている。個々の階層については，次のとおりである。なお，ここでは個々の階層についてONS[6]に準じた表記を用いる。

1 ›› 物理的に危険を排除(elimination)

最も効果が高いのは，HDである抗がん薬を用いないことだが，治療のためには薬を使用するので，実現不可能である。

2 ›› 危険の置換(substitution)

曝露によるリスクのない治療薬などに変更することである。しかし，現段階ではそのような治療薬は開発されていないため実現不可能である。

3 ›› 危険から人々を隔離(engineering controls)

次に効果が高いのは，曝露源の封じ込めである。人々を危険から隔離する。

調製時において安全キャビネット/アイソレータを用いる。さらに，調製・投与時に閉鎖式薬物移送システム(closed system drug transfer device：CSTD)などの機械・器具を適切に使うことである。

これを実行するには，事業主を含めた職場の管理者が，職場環境を安全に保つために機械・器具の導入などの対策を立てる必要がある。今日ではわが国においても種々の機械・器具が開発されている。

4 ›› 組織管理的コントロール(administrative controls)

エンジニアリング・コントロールが整っていても，正しい知識と技術に基づいた対応がなされないと，曝露は予防できない。組織全体として，曝露の危険性をどのようにコントロールしていくかを考え，曝露が起きる可能性のある業務すべてに関して，予防法や曝露時の対応について指針や手順を作成する。そしてすべての関係者に周知することが必要であり，このことが曝露対策のための安全プログラムの根幹をなす。指針や手順に基づいて安全に実践できるような教育プログラムを入職時，あるいは定期的に行う。知識があっても，実践できないと絵に描いた餅である。演習や訓練も取り入れ，職員1人ひとりが曝露対策の知識をもち，確実な技術を自信をもって行えるようにする。

指針は看護部門のみならず，医師，薬剤師など医療従事者と経営に携わる事務長など関連部門がチームを組んで策定する。看護部門では，がん看護専門看護師，がん化学療法看護認定看護師，研修を受けた看護師や感染管理者およびリスクや安全に関与する担当者が相談しながら進めるとよい。

さらに指針や手順に沿った適切な業務実践を行う。調製，運搬・保管，投与管理，廃棄，投与中ならびに投与後の患者の排泄物・体液/リネン類の取り扱いに関わる業務実践が正しく行われているかを確認できる体制を職場で整備する。作業実践は，意識化できるようにポスターにして掲示するなどを行うことが重要である。

5 ›› 個人防護具(PPE)

組織的に効果の高い対策をとっていても，それに加えて1人ひとりが曝露の危険から身を保護する個人防護具(personal protective equipment：PPE)を適切に使用することが大切である。PPEには手袋，ガウン，マスク，フェイスシールド/ゴーグル，その他の防護具が含まれる。サージカルマスクは呼吸器の保護にはならない。

飯野らの調査(2015年)[7]では，図2-2に示したように投与管理については，必要性の認識，実施の状況ともに低いことが明らかにされている。2019年版ガイドラインでは，CQ12「HD静脈内投与管理にCSTDを使用していても，PPEを使用することが推奨されるか」を設定した。その推奨は，CSTDの使用下においてもHD静脈内投与時にはPPEの使用を強く推奨している[8]。

各場面に必要かつ適切なPPEを選択し，適切な方法で装着・除去することが必要である。

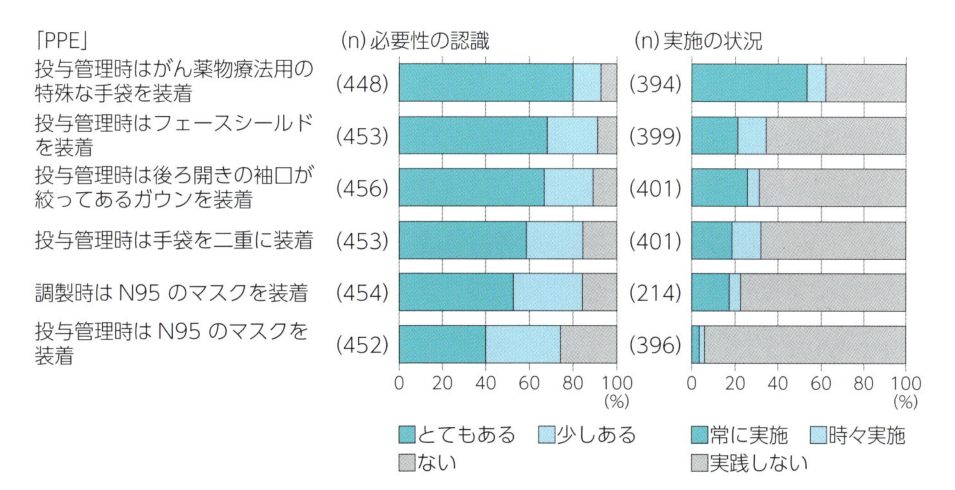

図 2-2 曝露対策における個人防護具（PPE）による必要性の認識と実施の状況

〔飯野京子，神田清子，平井和恵，ほか：看護師のがん薬物療法における曝露対策に関する実態調査―がん薬物療法における曝露対策合同ガイドライン発行前調査　日本がん看護学会ガイドライン委員会報告（平成 24～27 年度）．日本がん看護学会誌，29(3)：83（図 2），2015 より抜粋〕

引用文献

1）Centers for Disease Control and Prevention：Hierarchy of Controls. https://www.cdc.gov/niosh/topics/hierarchy/（2020 年 1 月 27 日アクセス）

2）中西弘和，杉浦伸一，那須和子：行動目標 W 医療従事者を健康被害からまもる．医療安全全国共同行動技術支援部会（編）：医療安全実践ハンドブック．pp.307-319，一般社団法人医療安全全国共同行動，2015.

3）一般社団法人日本がん看護学会，公益社団法人日本臨床腫瘍学会，一般社団法人日本臨床腫瘍薬学会（編）：Ⅱ　重要な用語の定義　ヒエラルキーコントロール（hierarchy of control）．がん薬物療法における職業性曝露対策ガイドライン 2019 年版．p.5，金原出版，2019.

4）International Society of Oncology Pharmacy Practicioners Standards Committee：ISOPP standards of practice. Safe handling of cytotoxics. Section 5-Hierarchic order in protection measures. Journal of Oncology Pharmacy Practice 13（3）Suppl：15-16, 2007

5）Oncology Nursing Society：Safe Handling of Hazardous Drugs, 2nd ed. pp.18-27, 2011.

6）Polovich M, Olsen M（Eds.）：Safe Handling of Hazardous Drugs, 3rd ed. pp.18-27, Oncology Nursing Society, 2018.

7）飯野京子，神田清子，平井和恵，ほか：看護師のがん薬物療法における曝露対策に関する実態調査―がん薬物療法における曝露対策合同ガイドライン発行前調査　日本がん看護学会ガイドライン委員会報告（平成 24～27 年度）．日本がん看護学会誌，29（3）：83（図 2），2015.

8）前掲書 3），pp.81-83.

（神田 清子）

B 安全のための環境整備・物品
① 生物学的安全キャビネット

1 生物学的安全キャビネット

生物学的安全キャビネット（biological safety cabinet，以下安全キャビネット）は，キャビネット内が陰圧に保たれ，キャビネット内にHEPA（high efficiency particulate air）フィルターを通した清浄な空気が供給されることで清浄空間が保たれる装置である（図 2-3）。

1 ›› エンジニアリング・コントロールの１つ

抗がん薬をはじめとするHDの調製は，調製者や環境への曝露防止のために安全キャビネット内で行う必要がある。ヒエラルキーコントロールにおいては，“エンジニアリング・コントロール”に位置づけられ，調製時の曝露対策として閉鎖式薬物移送システム（CSTD）とともに，現実的に最も効果的な手段に位置づけられる（第２章A「ヒエラルキーコントロールの考え方」➡ 48 ページ）。

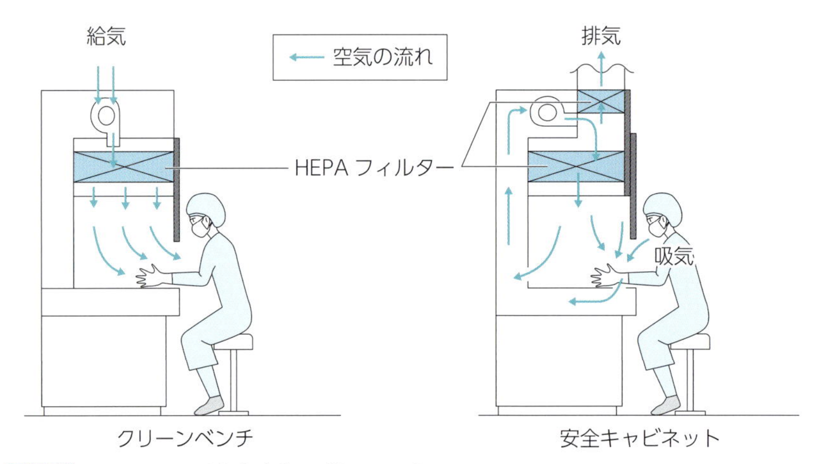

図 2-3 クリーンベンチと安全キャビネットの違い

クリーンベンチは清浄な空気がキャビネット内に供給され，作業空間を陽圧に保つ構造のものである．そのため無菌的な調製には役立つが，抗がん薬の調製時に用いると，抗がん薬のエアロゾルが混入した空気が調製者に吹きかかり，曝露につながる。

〔一般社団法人日本がん看護学会，公益社団法人日本臨床腫瘍学会，一般社団法人日本臨床腫瘍薬学会：がん薬物療法における職業性曝露対策ガイドライン 2019 年版．p.33，金原出版．2019.〕

2 ›› 安全キャビネットの種類

安全キャビネットは構造の違いにより，クラスⅠ，Ⅱ，Ⅲの3種類に分類される。HDの調製においてはクラスⅡ以上の安全キャビネットの設置が必要であり，クラスⅡはキャビネット内の気流方式や排気方法によってさらに4タイプ（A1, A2, B1, B2）に分類されている（表2-1）。

HDの調製には，クラスⅡタイプB2が推奨される。これは，キャビネット内部の汚染した空気が調製者側に流出しないようエアーバリアで遮断され，かつキャビネット内の空気は吸引後HEPAフィルターを通して100%室外に排気されるものである。また，キャビネット内部はHEPAフィルターを通した清浄な空気が供給され，無菌状態が保たれている。

3 ›› 適切な手技での調製は必須

ただし，安全キャビネットは調製時に発生するHDのエアロゾルによる作業者への汚染を防ぐものであり，キャビネット内の汚染を防止する機能があるものではない。安全キャビネット内で調製された輸液バッグであってもプラスチックバッグに入れ，取り扱いの際に手袋を着用するのはそのためである。安全キャビネット内で調製する場合でも，エアロゾルや飛沫の発生を最小限とする適切な手技で調製を行うこと，また1日の作業終了時の清掃や定期的なメンテナンスを行うことが前提として重要である。

表2-1 安全キャビネットクラスⅡのタイプ分類（JIS規格K3800 2009年より）

	タイプA1	タイプA2	タイプB1	タイプB2
使用目的	生物材料および不揮発性有害物質の取り扱い。少量の揮発性物質・ガスの取り扱いを含む		生物材料および相当量の揮発性有害物質の取り扱い	
排気	室内排気。少量の揮発性有害物質・ガスの使用には，開放式接続ダクトによる室外排気		密閉式接続ダクトによる室外排気	
吸気流平均風速	0.4 m/s以上	0.5 m/s以上		
間口1m当たりの平均排気量	0.066 m^2/s以上	0.100 m^2/s以上		

〔一般社団法人日本がん看護学会，公益社団法人日本臨床腫瘍学会，一般社団法人日本臨床腫瘍薬学会：がん薬物療法における職業性曝露対策ガイドライン2019年版. p.34，金原出版. 2019.〕

2 抗がん薬調製ロボット

近年，安全キャビネット内でロボットが抗がん薬の調製を行う抗がん薬調製ロボットが販売されるようになり，わが国でも導入する施設が出てきた。

安全キャビネットの進化形ともいえる抗がん薬調製ロボットは，人間が処方箋や必要な薬剤・器具などをセットすれば，抗がん薬の調製，輸液バッグへの混注はすべてロボットが行うものであり，人間が抗がん薬を調製する際の曝露リスクが回避できる（図 2-4）。大変高額な製品であるが，エンジニアリング・コントロールの中でも最も曝露防止の効果が高いものであり，普及が期待される。わが国で使用できる抗がん薬調製ロボットは，表 2-2（➡ 56 ページ）のとおりである。

COLUMN

クラス 100 とは？

米国連邦規格の定めたクリーンルームの空気清浄度を示す規格で，「空気 1 立方フィート（一辺約 30 cm の立方体）中に含まれる 0.5 μm 以上の微粒子（チリ・ゴミ）が 100 個以下であること」を意味する。同様に微粒子数が 1,000 個以下ならクラス 1000 といい，数字が小さいほど清浄度が高い。クラス 100 は，一般に無菌手術室で必要とされるレベルの，高い清浄度である。

構造

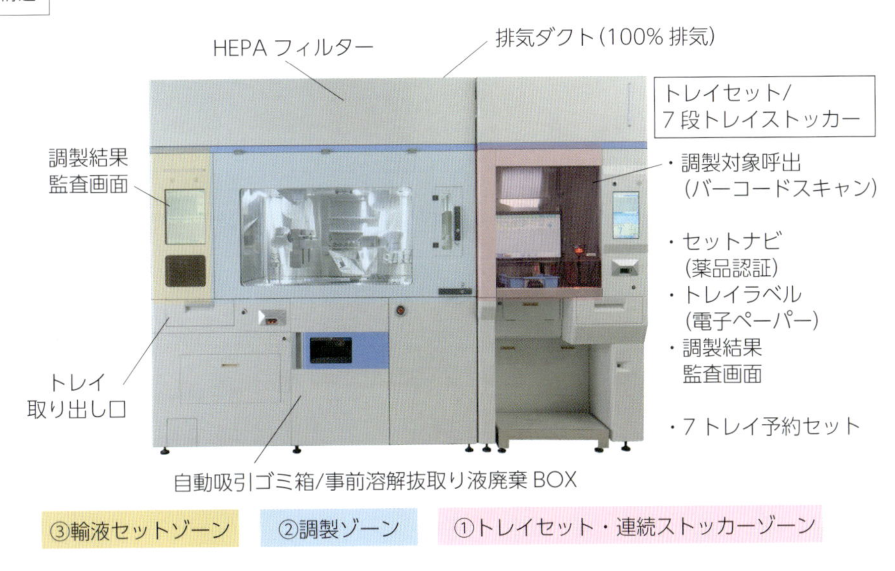

抗がん薬調製の流れ

①バーコードで処方内容を認識してから，調製ごとに必要な薬品や機材を専用トレイにセットする。その後，搬送ラインを使ってトレイを調製部に送り込む。輸液バッグだけが輸液セットゾーンに自動でセットされる(抗がん薬の抜き取りや溶解・撹拌を行う調製ゾーンで輸液バッグ表面が汚染しないため)。

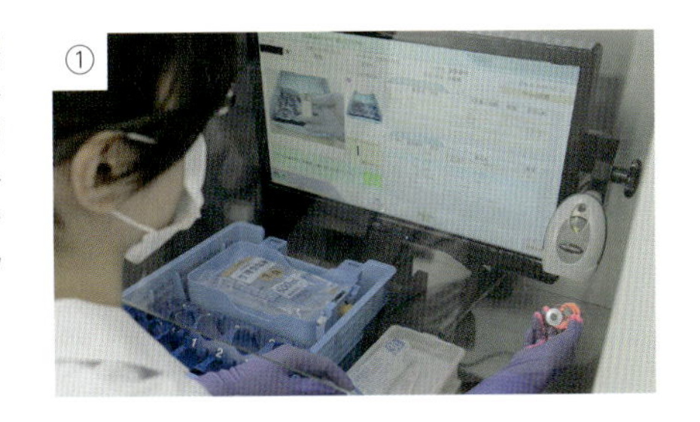

②クラス 100 (➡ COLUMN「クラス 100 とは?」) の清浄度が保たれた陰圧のクリーンスペース内で，双腕ロボットが抗がん薬を調製する。

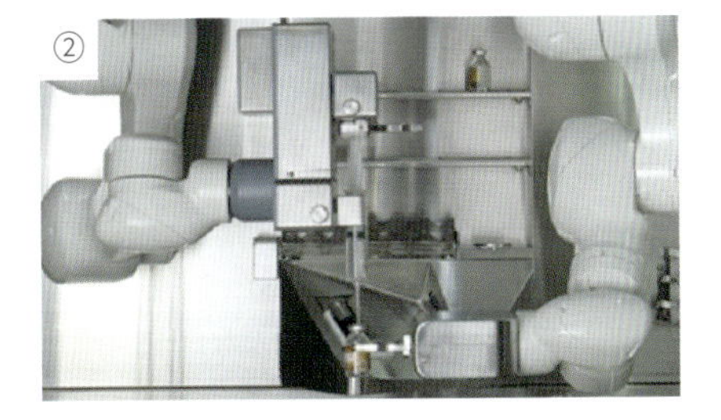

③輸液セットゾーンにセットされた輸液バッグのゴム栓部分に，ロボットが調製済みの抗がん薬を混注する。開口している輸液バッグのゴム栓部分は陽圧，調整ゾーンは陰圧の関係を保つように工夫され，輸液バッグの汚染を回避している。

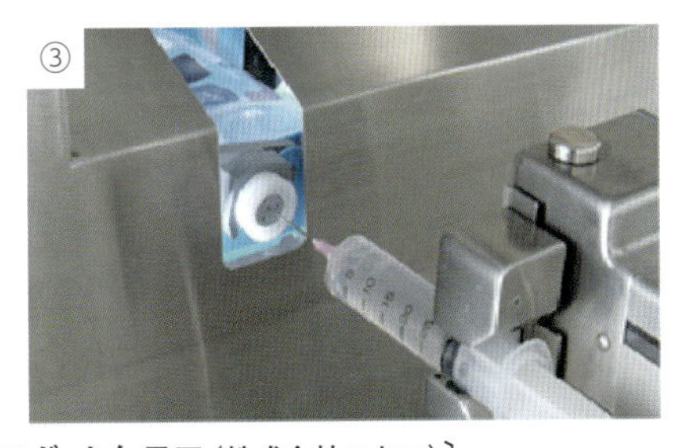

図 2-4 抗がん薬調製ロボット〔抗がん剤混合調製ロボットケモロ(株式会社ユヤマ)〕
〔写真提供：株式会社ユヤマ〕

表 2-2 わが国で使用できる抗がん薬調製ロボット

製品名（製造・販売）	安全キャビネット内の排気	特徴（輸液バッグ表面の汚染防止の工夫）	
ケモロ ChemoRo （株式会社ユヤマ）	100%室外排気	・輸液バッグのゴム栓部分のみが調製ゾーンに開口 ・調整ゾーンは陰圧を，開口したゴム栓部分は陽圧を保ち，混注時の汚染を回避する	
アポテカ (APOTECAchemo) （製造：LOCCIONI 社 販売：株式会社 S & S エンジニアリング）	100%室外排気（30%排気 70%循環型または 100%室外排気型）	・輸液バッグが安全キャビネットの床部分に触れない構造 ・専用ニードルを使用することで液漏れしにくい機構	
ダーウィン・ケモ (DARWIN™-Chemo) （日科ミクロン株式会社）	100%室外排気	・調製終了後の輸液バッグやボトルをオゾン水で洗浄し，乾燥後，キャップを取り付け払い出される	

〔写真は各社提供による〕

参考文献

1）一般社団法人日本がん看護学会，公益社団法人日本臨床腫瘍学会，一般社団法人日本臨床腫瘍薬学会（編）：1）生物学的安全キャビネット / アイソレーター．がん薬物療法における職業性曝露対策ガイドライン 2019 年版．pp.32-36，金原出版，2019.

2）日本病院薬剤師会（監），遠藤一司，濱敏弘，加藤裕久，米村雅人，中山季昭（編著）：1．安全キャビネット．抗悪性腫瘍薬の院内取扱い指針 抗がん薬調製マニュアル 第 4 版．pp.73-75，じほう，2019.

（平井 和恵）

安全のための環境整備・物品

C ② 閉鎖式薬物移送システム (CSTD)

閉鎖式薬物移送システム（closed system drug transfer device：CSTD）（COLUMN「CSTD」➡p.58）は，HDを調製・投与する際に，外部の汚染物質がシステム内に混入することを防ぐと同時に，液状あるいは気化/エアロゾル化したHDが外に漏れ出すことを防ぐ構造を有する器具である[1]。

ヒエラルキーコントロールにおいては，“エンジニアリング・コントロール”の1つであり，安全キャビネット（第2章B「安全のための環境整備・物品 ①生物学的安全キャビネット」➡52ページ）とならび，現実的には調製・投与時の曝露対策として最も効果的な手段に位置づけられる。

2016年2月，米国ではUSP〈800〉Hazardous Drugs-Handling in Healthcare Settingsという HDを適切に取り扱うための指針が公布された。USP（United States Pharmacopeia）とは米国薬局方を示し，FDA管轄のもと米国内で法的強制力をもつ。USP〈800〉において，「CSTDは，剤型が許す場合，抗悪性腫瘍HD投与には使用しなければならない」と“must”という表現を用いて明記された。また，米国がん看護学会（Oncology Nursing Society：ONS） のガイドラインである *Safe Handling of Hazardous Drugs, 3rd edition*（*2018*）においても，「CSTDは，剤型が許す場合，調製には勧められ，投与には必須である」と明記された。

1 ›› 調製用のCSTD

一般に，閉鎖性を確保しつつ，バイアルに溶解液を注入する際やバイアルから薬液を吸引する際に生じる差圧を調節し，バイアル内を等圧に保つ機能を有する器具である。シリンジ，バイアル，輸液容器に接続する形で用いられる。

わが国における調製用のCSTDは，「閉鎖式接続器具」「閉鎖式薬剤移注システム」のいずれかである。診療報酬において閉鎖式接続器具という場合，その両方を指す。それぞれの特徴は表2-3の通りである。

等圧に保つ機能は，機械式・フィルター式（表2-4）の2種類がある。

フィルター式は完全にHDを捕集することはできない。

また，輸液バッグにHDを混注する際の曝露を防ぐため，輸液バッグとシリンジの間に接続する形で用いられる混注用アダプタや，チューブつき混注用アダプタもある．

表 2-3 閉鎖式接続器具と閉鎖式薬剤移注システム

	閉鎖式接続器具	閉鎖式薬剤移注システム
説明	・バイアル内外の差圧を調節する機構を有することにより，薬剤の飛散等を防止する器具をいう	・抗がん剤等を容器からほかの薬液容器に移す際に，容器に接続して環境中への薬剤の飛散・漏出を防止するために用いるシステムをいう ・容器内外の差圧を調整する機構を有する
国内における定義	クラスⅠ*	クラスⅡ**
曝露防止	・薬液の「飛散」防止器具 ・「漏出」や「気化流出」防止は不問	・薬液の「飛散」「漏出」防止器具 ・「気化流出」防止は不問
無菌性担保	不問	不問
差圧調整	差圧調整できることが条件	差圧調整できることが条件

*クラスⅠ：一般医療機器。副作用または機能の障害が生じた場合においても，人の生命及び健康に影響を与える恐れがないもの（届け出制）。
**クラスⅡ：管理医療機器。副作用または機能の障害が生じた場合において，人の生命及び健康に影響を与える恐れがあることから適切な管理が必要なもの
（第 3 者登録認証機関，または厚生労働省による認証が必要）

2 ›› 投与用の CSTD

一般に，HD 入りの輸液バッグを輸液ラインに着脱するときや側管として接続するとき，HD 入りの輸液で輸液ラインを満たす（プライミングする）ときの HD の飛び散りや漏れ出しを避ける機能をもつ器具であり，さまざまなタイプがある。

大別すると，メインルート 1 本で投与するタイプのものと，HD を側管から投与するタイプのものがある（表 2-3）。

また，各メーカー独自の機能で，調製から投与，廃棄までを一連の流れとして使用するものや，現在使用中の輸液セットに追加して使用できるものなどがある。

これから紹介するのは，現在わが国で使用可能な CSTD とその使い方，安全性などの特徴を示したものである。近年，わが国では CSTD 製品の選択肢は増えており，導入検討の際は調製を担当する薬剤師とともに各製品の特徴を十分理解し，自施設に適したものを選定するとよい。

COLUMN

CSTD

国内の医療機器承認では，クラスⅠのものが「閉鎖式接続器具」，クラスⅡのものが「閉鎖式薬剤移注システム」という一般名で承認されているが，『がん薬物療法における職業性曝露対策ガイドライン 2019 年版』では総称して「閉鎖式薬物移送システム（CSTD）と記載している。本書もこれに倣って表記した。

表 2-4 本書掲載の CSTD

製品の種類・名称 ＼ 製品の特徴			調製器具の仕様		静脈内投与の方式				局所投与時の使用
			機械式 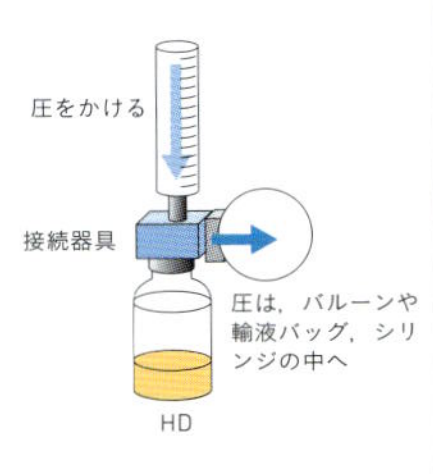	フィルター式 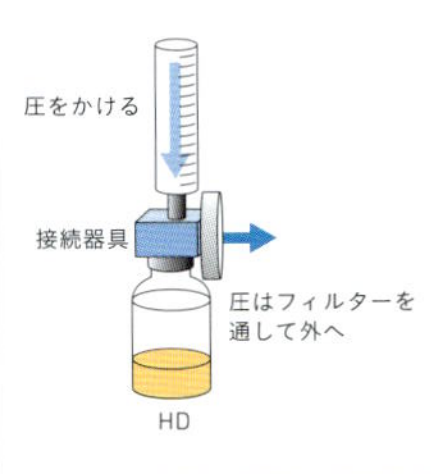	①メインルート 1 本で HD を投与 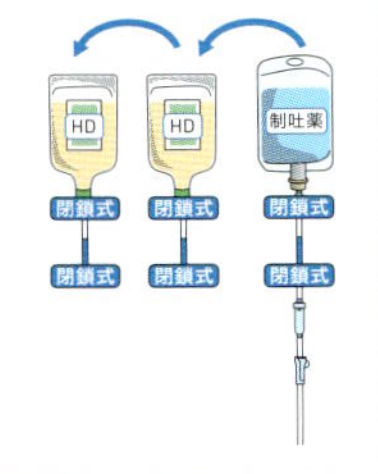	②側管から HD を投与 a) 点滴筒なし i) 側管ルートごと接続 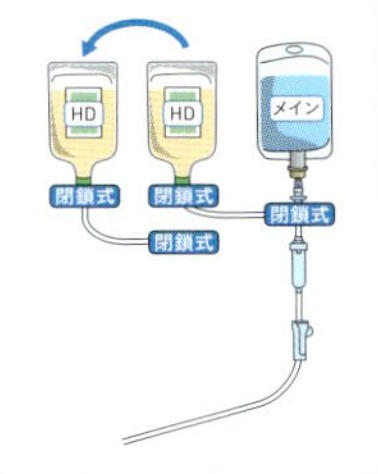	②側管から HD を投与 a) 点滴筒なし ii) 側管ルートとメインルートが一体化 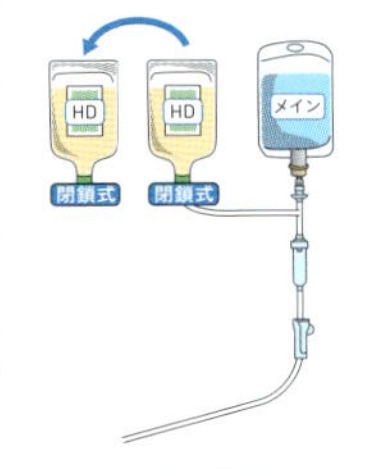	②側管から HD を投与 b) 点滴筒あり 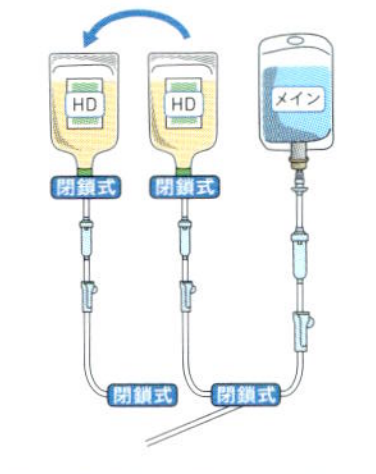	
調製・投与用	Chemo Clave®	クローズドバイアルスパイク	○	○	○	○	○	○	○
		ユニバーサルスパイク		○					
	ケモセーフ®	ケモセーフロック	○	○	○		○		○
		ケモセーフ		○		○		○	○
	ネオシールド		○		○		○		○**
	BD ファシール™ システム		○		○	○	○	○	
	エクアシールド		○		○	(○)*	○	(○)*	○
調製用	ユニテクト		○		準備中 (2020 年夏発売予定)				
投与用	Safe Access™ クローズド C		—	—		(○)*		(○)*	○**

*既存の輸液セットと併用することで，これらの投与方法が可能となる。 **髄腔内注射針（新規格製品）への対応製品あり。

〔機械式・フィルター式のイラストは一般社団法人日本がん看護学会，公益社団法人日本臨床腫瘍学会，一般社団法人日本臨床腫瘍薬学会（編）：がん薬物療法における職業性曝露対策ガイドライン 2019 年版．p.37，金原出版，2019．より一部改変〕

調製・投与用

ChemoClave® 株式会社パルメディカル，ニプロ株式会社

手順

※ a b c d は安全性の特徴 (p.62)

1 調製

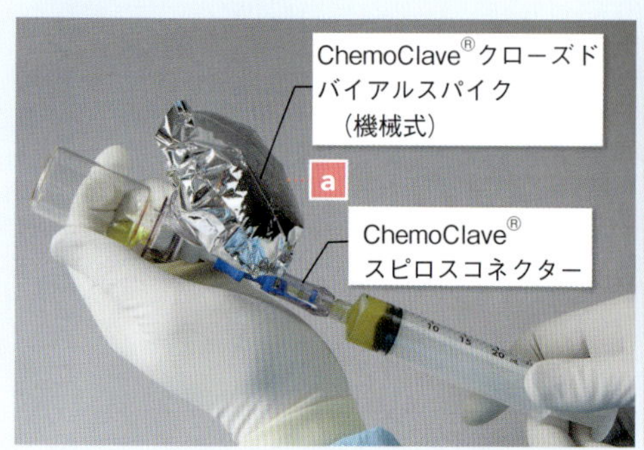

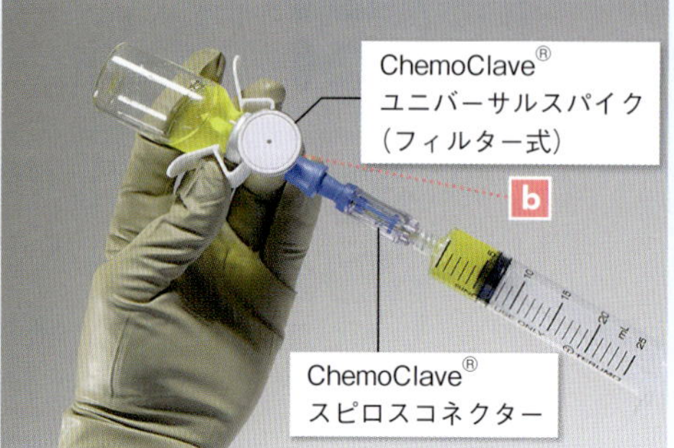

- 一般のシリンジ（ロックタイプ）にChemoClave®スピロスコネクター（オスルアーのコネクター）を装着
- ChemoClave®クローズドバイアルスパイクまたはChemoClave®ユニバーサルスパイクを装着したバイアルを逆さにしてシリンジに薬液を吸引する

2 混注

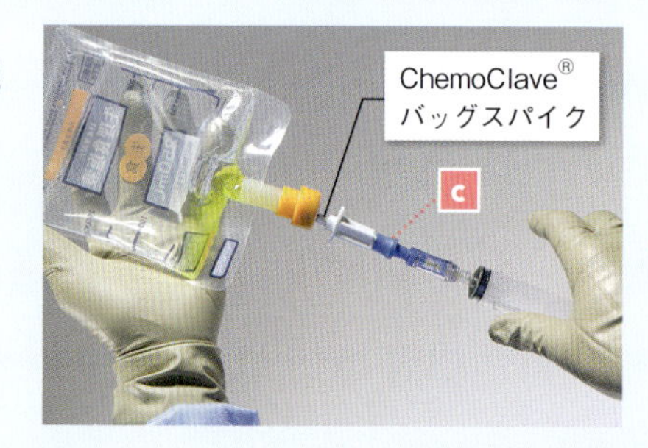

- 抗がん薬の入っていない輸液バッグ（生理食塩液など）に装着したChemoClave®バッグスパイクと，1で必要量の薬液を吸引したスピロス付きシリンジを接続し，混注する

3 払い出し

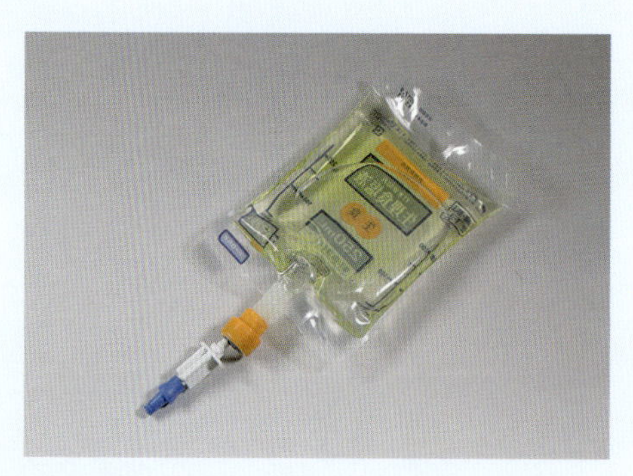

- 輸液バッグとChemoClave®バッグスパイクを接続した状態で払い出される（2混注を行わず，1で薬液を吸引したシリンジでの払い出しも可）

4 投与

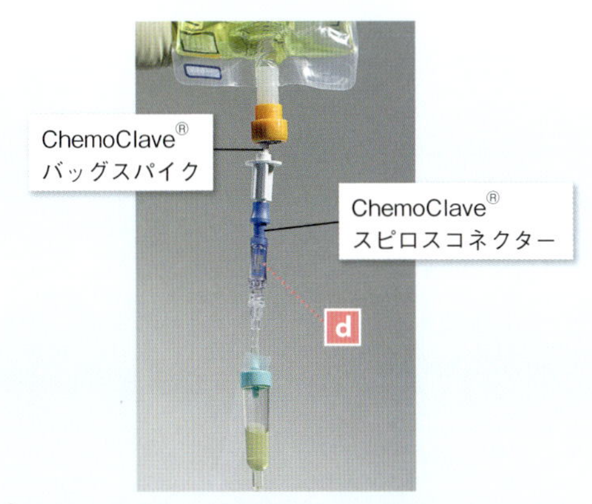

- 3 の ChemoClave®バッグスパイク（または 1 で薬液を吸引したシリンジ）を ChemoClave® スピロスコネクターと接続する
- 要消毒

〈多剤投与時〉

- 連続して投与する場合は，投与終了した輸液バッグのバッグスパイクとスピロスコネクターの接続を外し，別のバッグスパイクを装着した輸液バッグにつなぎかえる（1 薬剤につき 1 バッグスパイク）

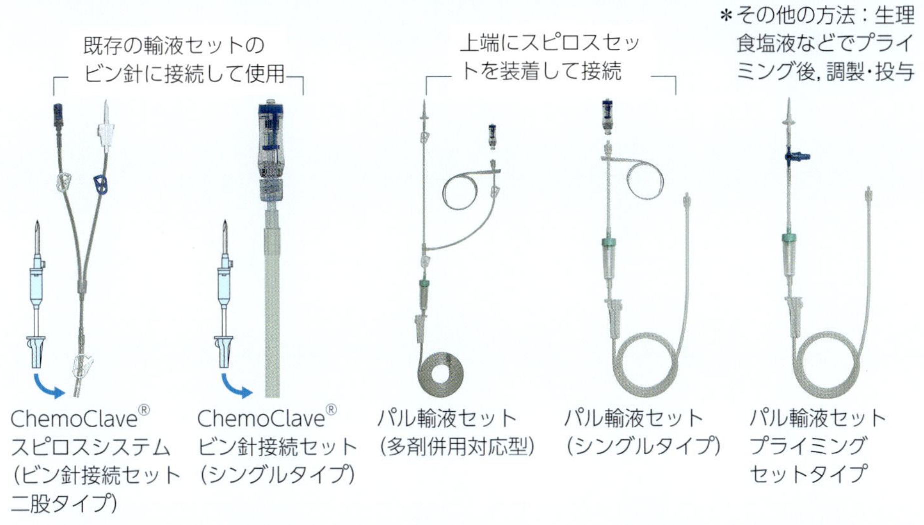

ChemoClave® スピロスシステム（ビン針接続セット二股タイプ）　ChemoClave® ビン針接続セット（シングルタイプ）　パル輸液セット（多剤併用対応型）　パル輸液セット（シングルタイプ）　パル輸液セット プライミングセットタイプ

〔写真提供：株式会社パルメディカル〕

5 廃棄

- いずれの場合でも，抗がん薬投与終了後，接続をはずさずに廃棄する

安全性

a ChemoClave®クローズドバイアルスパイクの場合：
外部バルーンでバイアル内の圧力を調整することができる（➡1 調製）

b ChemoClave®ユニバーサルスパイクの場合：
口径 0.2 μm のベントフィルターによりバイアル内圧を調整し，エアロゾルや薬液飛散のリスクを軽減できる（➡1 調製）

c **d**
ChemoClave®バイアルスパイク・ChemoClave®バッグスパイクのメスルアー部と ChemoClave®スピロスコネクターのオスルアー部は，接続がはずれているときは必ず閉鎖状態になっており，それぞれが接続されることで開放になる構造である。万が一の操作ミスにより切り離されても必ず閉鎖されるので，不測の曝露を防止できる（パッシブセーフティー）（➡2 混注，4 投与）

製品の主な特徴

- 現在の投与方法を大きく変えずに閉鎖を実現できる
- 取り扱いが簡便である

〔撮影協力（手技）：前 国立がん研究センター東病院薬剤部　野村久祥先生〕

調製・投与用

ケモセーフ® テルモ株式会社

手順 ケモセーフロック$_{TM}$の場合

※ a b c d は安全性の特徴（p.64）

1 調製

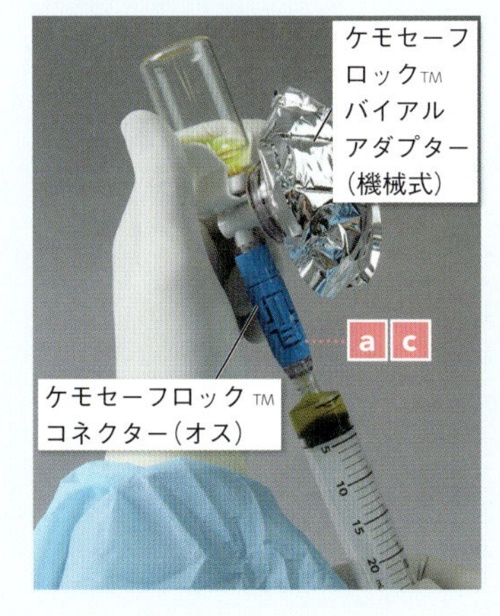

- シリンジにケモセーフロックコネクター（オス）を装着する
- ケモセーフロック$_{TM}$バイアルアダプターを装着したバイアルを逆さにして薬液を吸引する

2 混注

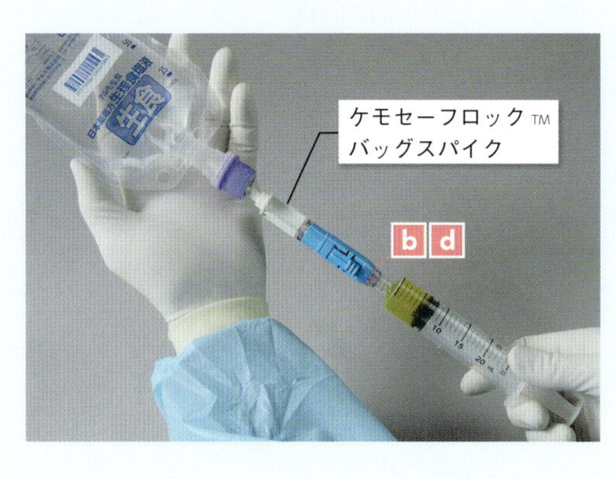

- 輸液バッグに，ケモセーフロック$_{TM}$バッグスパイクを装着する
- 1で必要量の薬液を吸引したシリンジを接続し，混注する

3 払い出し

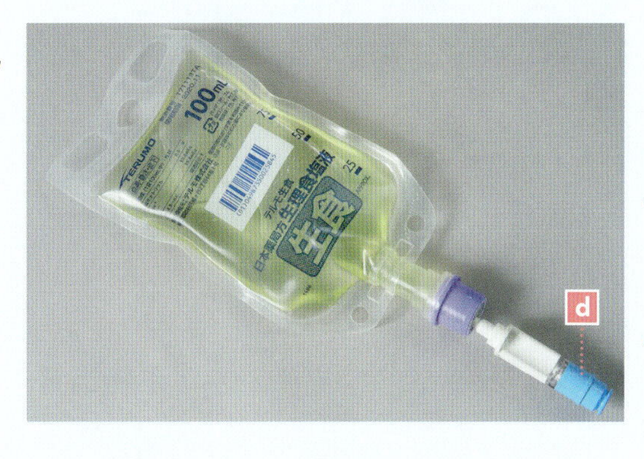

- 輸液バッグに，ケモセーフロック$_{TM}$バッグスパイクを装着した状態で払い出される
- 2混注は行わず，1で薬液を吸引したシリンジでの払い出しも可

4 投与

ケモセーフロック$_{TM}$輸液セットの場合

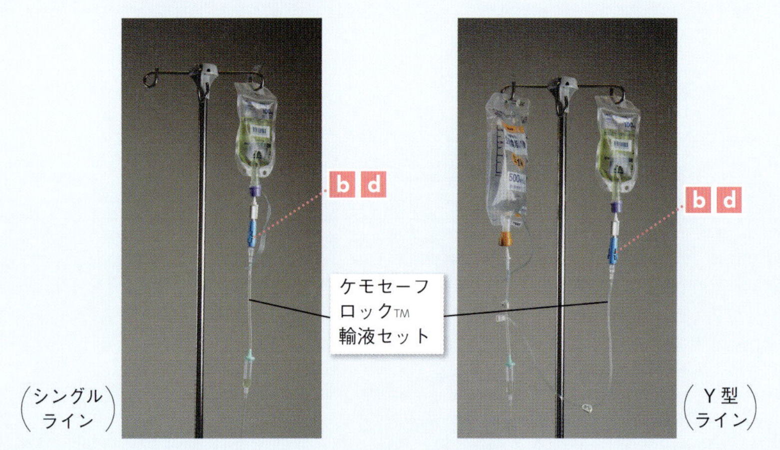

- ケモセーフロック$_{TM}$輸液セットのコネクターに，3のケモセーフロック$_{TM}$バッグスパイクを接続する（要消毒）
- 連続して投与する場合は，ケモセーフロック$_{TM}$バッグスパイクとコネクターの接続をはずして投与終了した輸液バッグを除去し，別の輸液バッグ（3で払い出された状態のもの）につなぎかえる（1薬剤につき1バッグスパイク）

5 廃棄

- 抗がん剤投与終了後，接続ははずさず廃棄する

安全性

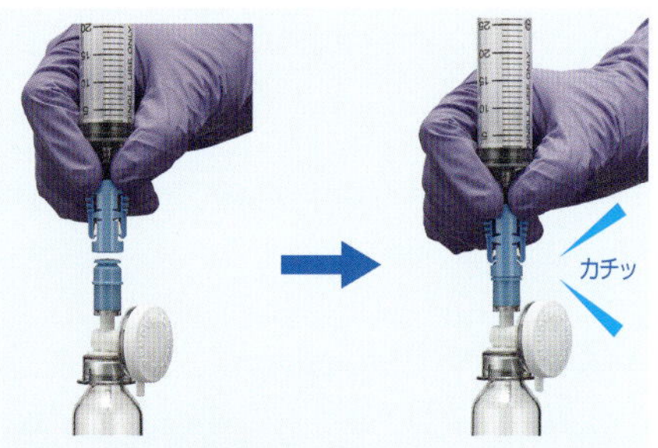

a 一度接続したらはずれないスピニング機構
接続はずれや緩みによる飛散や漏出を防ぐために，一度接続すると空回りして外れない

b 音で接続を確認
コネクターを接続すると，「カチッ」と音がするカチットロックで，確実に接続できたかが簡単にわかる

c 閉鎖的でシンプルな差圧調整
バイアル内外の差圧を調整するためのバルーンを有し，薬剤の飛散・漏出等を防止する。加えて，外部から空気を取り込むことができる構造（一度取り込まれた空気は外部に漏れない）により，凍結乾燥製剤でも液体製剤でも直感的に薬液採取操作が可能

d 天面に薬剤が触れない流路構造になっており，接続部からの抗がん薬漏出を防ぐ

製品の主な特徴

- 独自の流路構造や差圧調整構造により高い閉鎖性能を持ちながら，調製でも投与でも，シンプルな操作が可能
- 「閉鎖式薬剤移注システム（CSTD）」として，薬事承認（クラスⅡ）を取得

〔撮影協力（手技）：前 国立がん研究センター東病院薬剤部　野村久祥先生〕

手順　ケモセーフ®の場合

※ a b c d は安全性の特徴（p.67）

1　プライミング

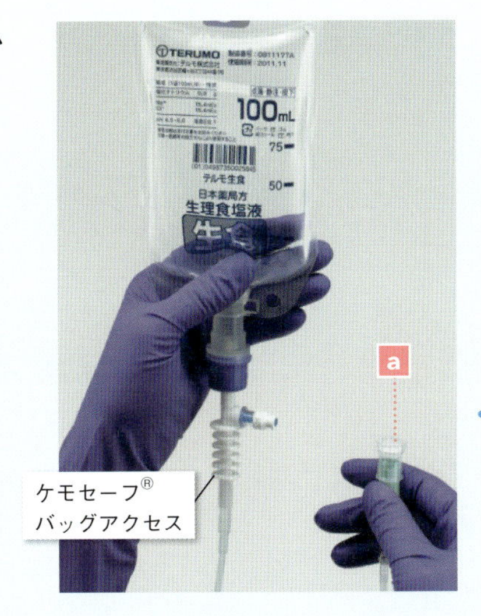

- ケモセーフ®バッグアクセスの先端のキャップをねじり，抗がん薬の入っていない輸液バッグ（生理食塩液など）にビン針を刺すことで閉鎖的にプライミングする

2　調製

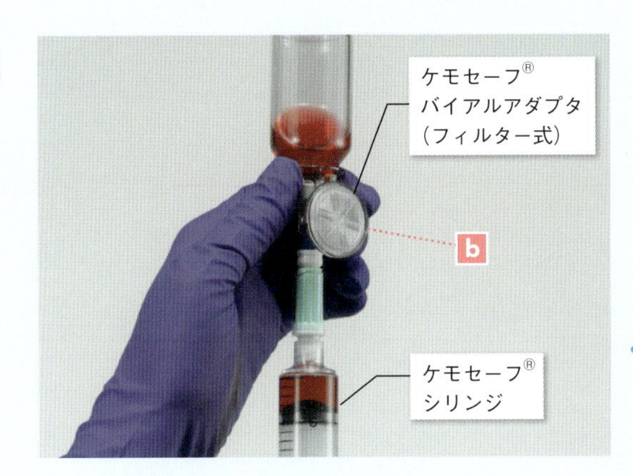

- ケモセーフ®バイアルアダプタを装着したバイアルを逆さにして，ケモセーフ®シリンジに薬液を吸引する

3　混注

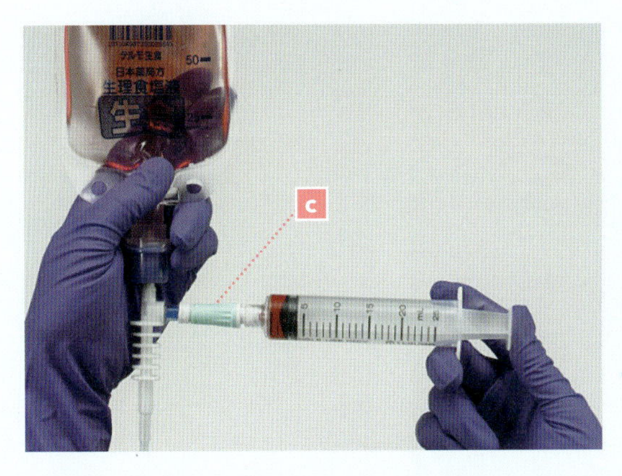

- 2 で必要量を吸引した抗がん薬をケモセーフ®バッグアクセスの混注口から混注する

4 払い出し

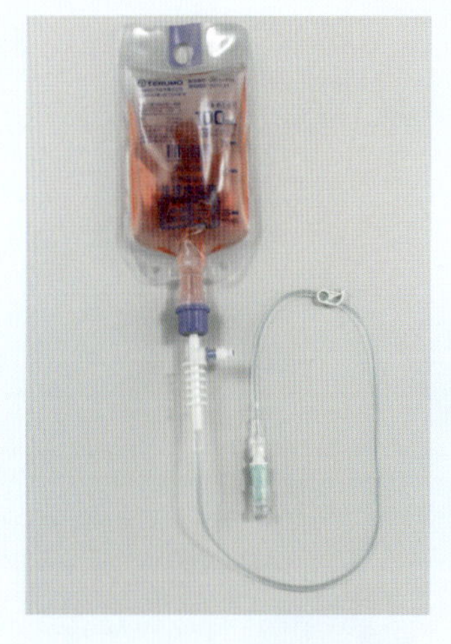

- 輸液バッグはケモセーフ®バッグアクセスが接続した状態で払い出される（3混注を行わず，2で薬液を吸引したシリンジでの払い出しも可）

5 投与

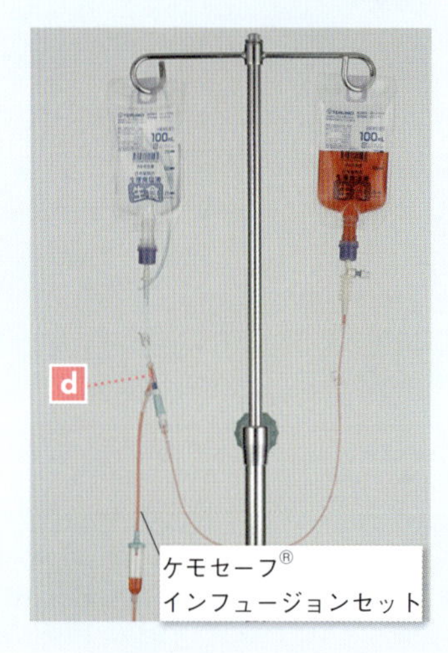

- ケモセーフ®インフュージョンセットの混注口に，4のケモセーフ®バッグアクセスを接続する
- 連続して投与する場合は，投与終了後のケモセーフ®バッグアクセスをはずし，次のバッグアクセスを接続する（1 薬剤につき 1 バッグアクセス）

6 廃棄

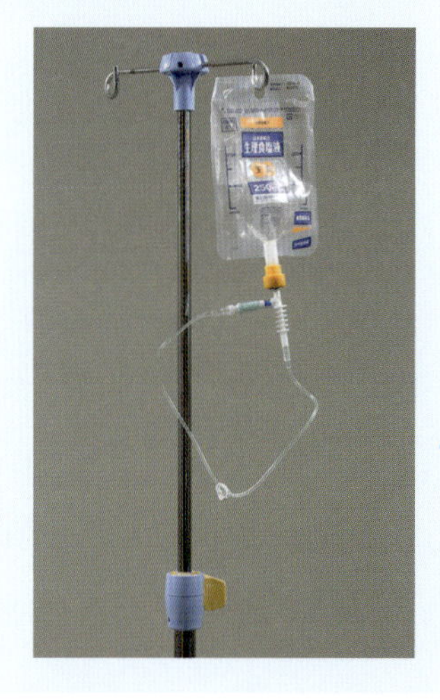

- 抗がん薬投与終了後，ケモセーフ®バッグアクセスの先端コネクタをケモセーフ®インフュージョンセットから外し，ケモセーフ®バッグアクセスの混注口に接続して（ループ状にして）廃棄する

安全性

- a 生理食塩液などの非抗がん薬でプライミング可能（➡1 プライミング）
- b 圧調整が不要（➡2 調製）
- c 抗がん薬がいったん輸液バッグに入ってから投与されるセーフティースルー構造（➡3 混注）
- d ビン針の抜き差しなく簡単に接続できる（➡5 投与）

製品の主な特徴

- 生理食塩液などでプライミングして抗がん薬を払い出すことができる
- 必要物品が少なく，簡単に接続できる

〔写真提供（1～5）：テルモ株式会社〕

調製・投与用

ネオシールド　株式会社ジェイ・エム・エス

手順

※ a b c は安全性の特徴（p.70）

1 調製・混注

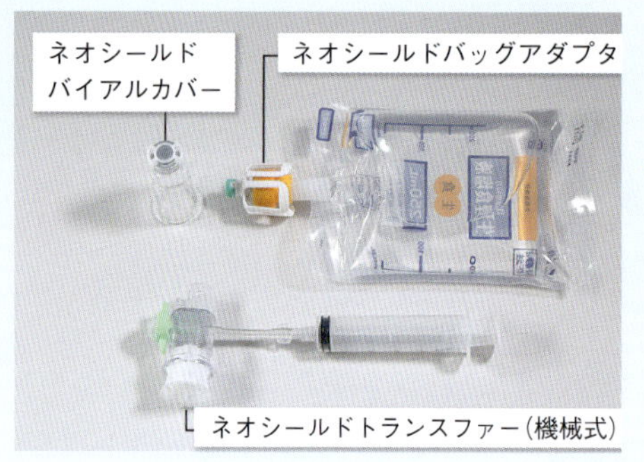

- （ⅰ）輸液バッグとネオシールドバッグアダプタを，
  （ⅱ）一般のシリンジ（ロックタイプ）とネオシールドトランスファーを，
  （ⅲ）バイアルとネオシールドバイアルカバーを，それぞれ装着する

（写真は装着済の状態）

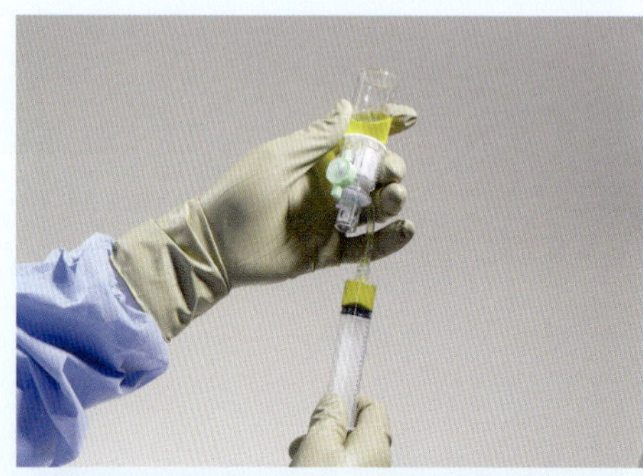

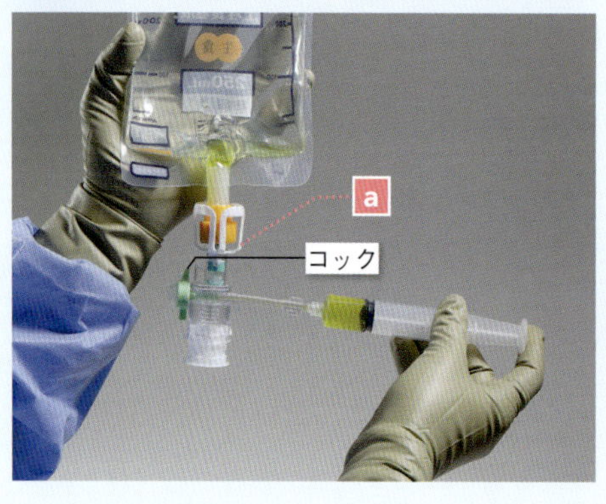

- ネオシールドバッグアダプタ（輸液バッグ），ネオシールドトランスファー，ネオシールドバイアルカバー（バイアル）の3点を接続し，輸液バッグから溶解液をシリンジに吸引，バイアルに注入して溶解する
- バイアルを逆さにしてシリンジに薬液を吸引，輸液バッグに混注する

（コックの操作により，薬液の流路は薬液バッグ⇔シリンジ，バイアル⇔シリンジのいずれか一方向となる）

2 払い出し

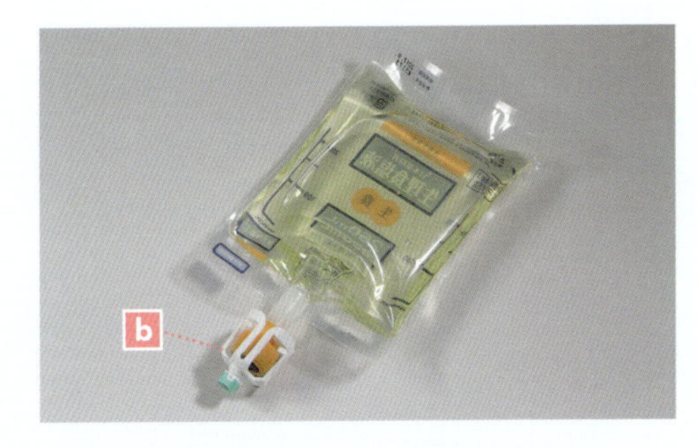

- 調製済み輸液バッグにバッグアダプタを接続したまま，キャップを付けた状態で払い出される

3 プライミング

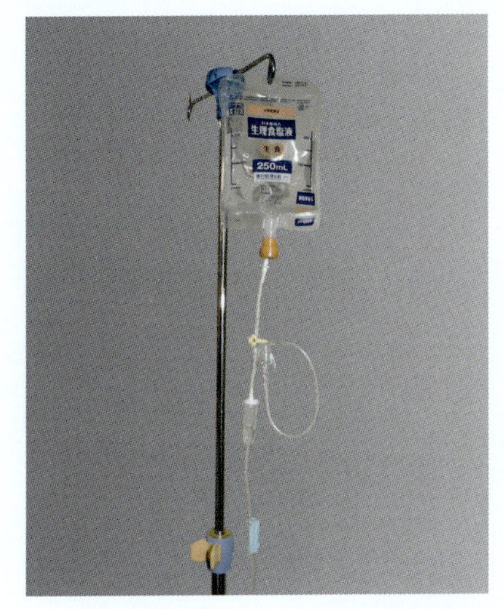

- 生理食塩液や制吐薬など，抗がん薬の入っていない輸液バッグにネオシールド輸液セットを接続し，一般の輸液セットと同様にプライミングする

4 投与

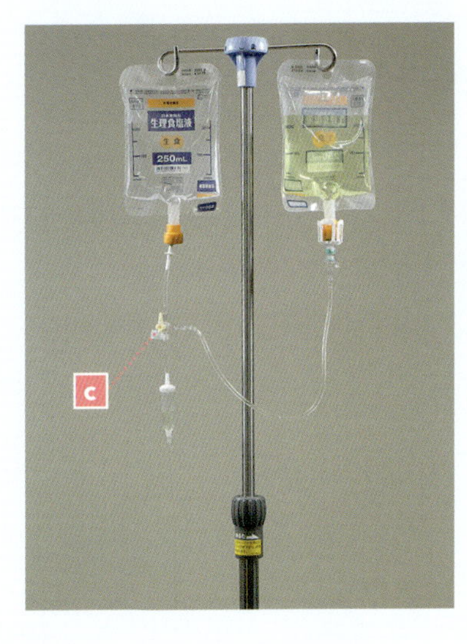

- ネオシールド輸液セットのレバーロックに2の調製済み輸液バッグを接続する（要消毒）
- 点滴筒を軽く圧し，接続チューブをプライミングする
- 連続して投与する場合は，投与終了した輸液バッグのバッグアダプタとレバーロックの接続を外し，バッグアダプタを装着した次の輸液バッグにつなぎかえる（1 薬剤につき 1 バッグアダプタ）

5 廃棄

- 抗がん薬投与終了後，接続をはずさずに廃棄する

安全性

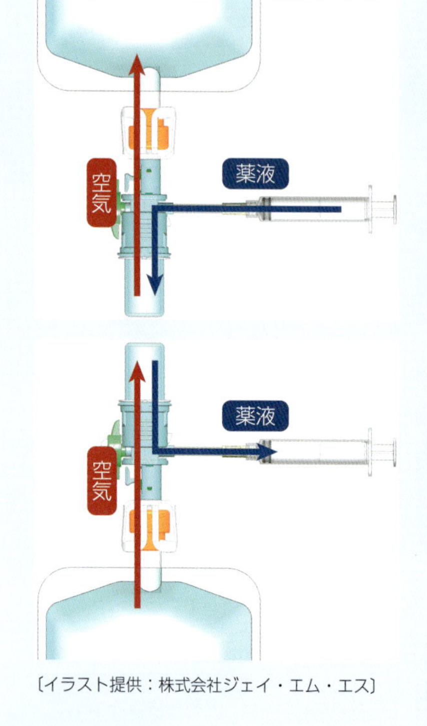

〔イラスト提供：株式会社ジェイ・エム・エス〕

a バイアル内の空気を輸液バッグに移動させることで差圧調節しており，揮発した薬剤でも漏れない構造（➡左図，1 調製・混注）

b 輸液バッグからバッグアダプタが脱落しないように，輸液バッグにツメが引っ掛かる構造（➡2 払い出し）

c コック操作による流路の選択ができることで，誤って抗がん薬をもう一方の輸液バッグに混入させてしまうことがない構造。ウォッシュアウトの際にもルート内に抗がん薬が滞留しない（➡4 投与）

製品の主な特徴

- 高い閉鎖性能をもちながら，独自の差圧調節機構によって，使用するパーツをシンプル化してコストを抑えている
- 投与システムは接続部の着脱がワンタッチで簡単。シンプルな操作がミスを低減し安心感へとつながる

〔撮影協力（手技）：前 国立がん研究センター東病院薬剤部　野村久祥先生〕

調製・投与用

BD ファシール™システム　日本ベクトン・ディッキンソン株式会社

手順

※ a b は安全性の特徴 (p.74)

1 調製

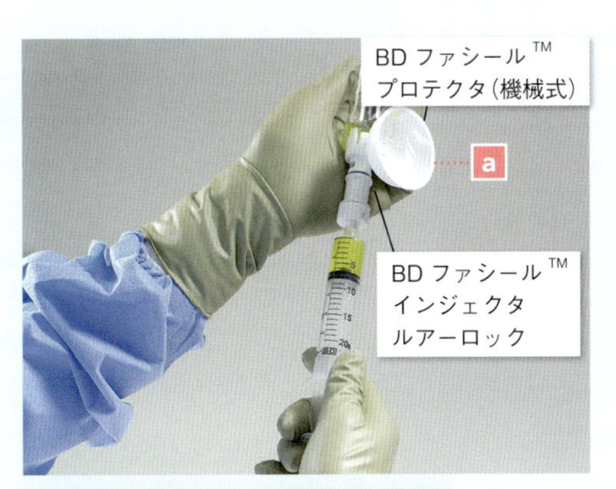

- 一般のシリンジ（ロックタイプ）にBD ファシール™ インジェクタルアーロックを装着
- BD ファシール TM プロテクタ※を装着したバイアルからシリンジに薬液を吸引する

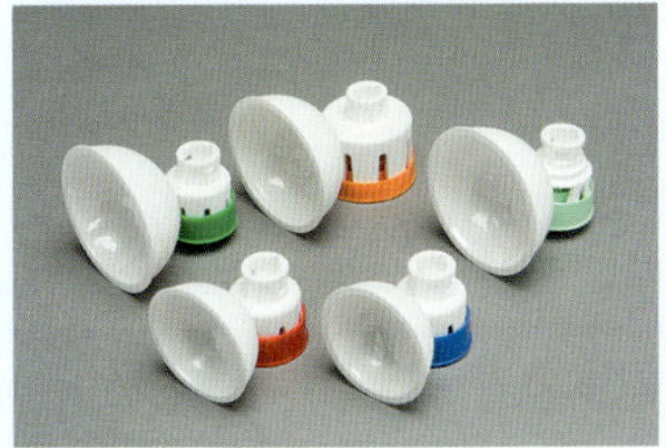

＊1

※さまざまなサイズに適応可能なプロテクタがある

2 混注（3 プライミングと順不同）

【BD ファシール™ プライミングセットの場合】

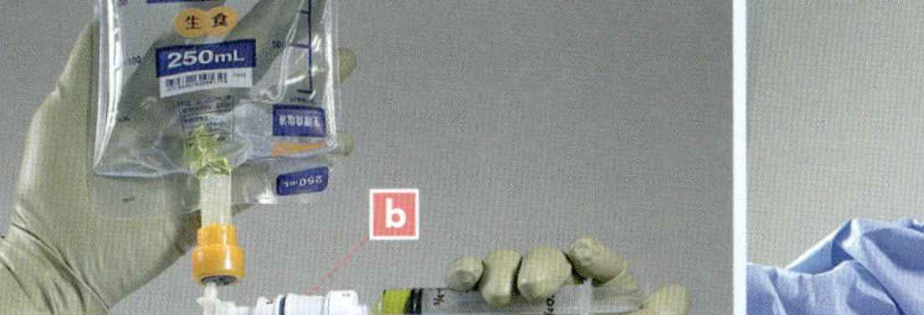

【BD ファシール™ スパイクセットの場合】

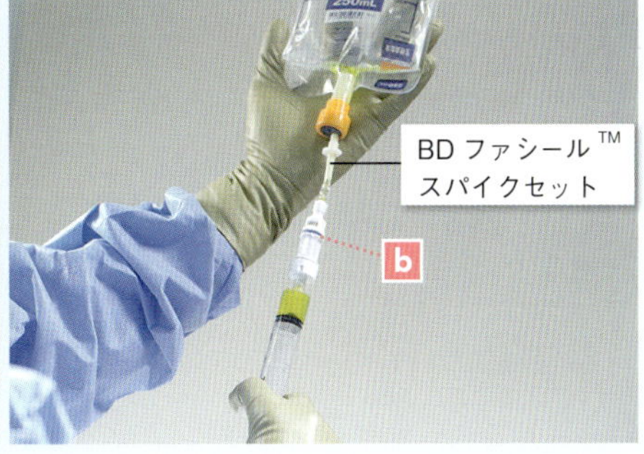

- 抗がん薬の入っていない輸液バッグ（生理食塩液など）にBD ファシール™ プライミングセットまたはBD ファシール™ スパイクセットを接続する
- 1 で必要量の薬液を吸引したシリンジを接続し，混注する

3 プライミング（2 混注と順不同）

【BD ファシール ™ プライミングセットの場合】

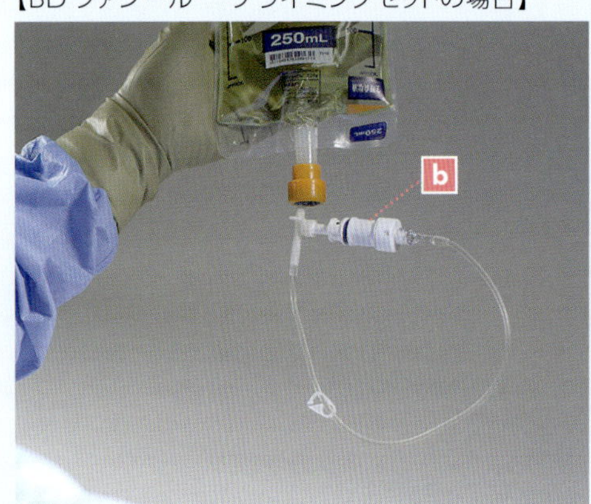

※上記写真は，点滴筒なしタイプの例

- 抗がん薬調整前にプライミングする（抗がん薬調整後の輸液でのプライミングも可能）

【BD ファシール ™ スパイクセットの場合】

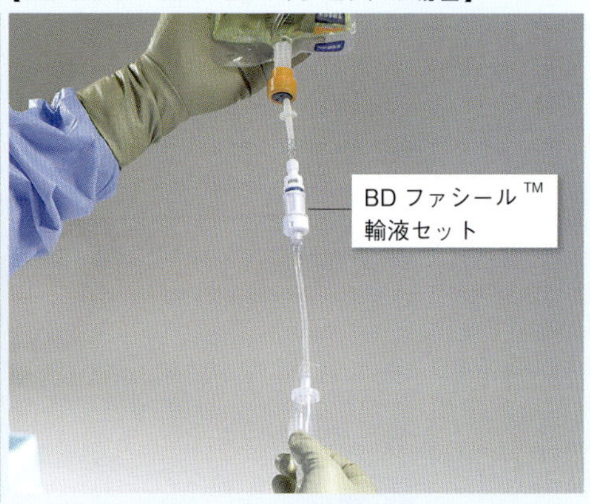

- BD ファシール ™ スパイクセットと BD ファシール ™ 輸液セットを接続してプライミングする
- 1 本目は制吐薬などでプライミングする

4 払い出し

【BD ファシール ™ プライミングセットの場合】

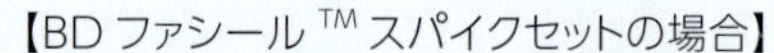

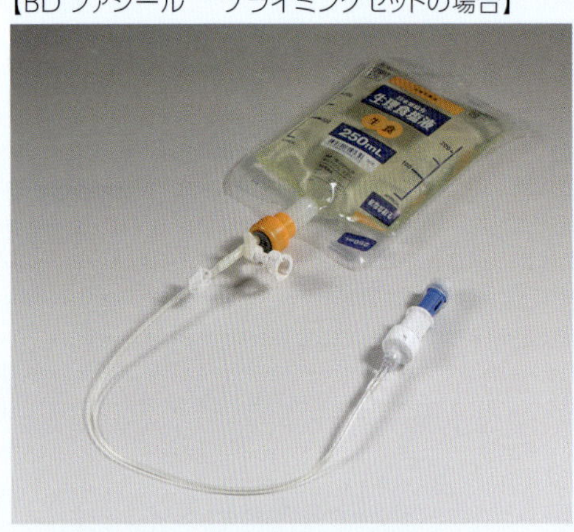

【BD ファシール ™ スパイクセットの場合】

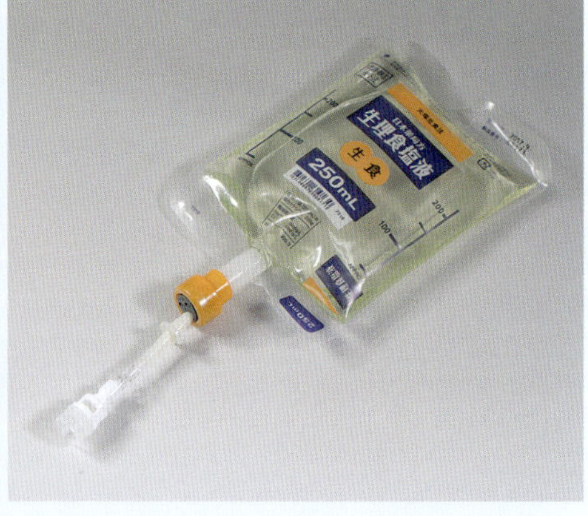

※上記写真は，点滴筒なしタイプの例

- 輸液バッグと BD ファシール ™ プライミングセットまたは BD ファシール ™ スパイクセットを接続した状態で払い出される
（2 混注を行わず，1 で薬液を吸引したシリンジで払い出すことも可）

5 投与

【BD ファシール ™ プライミングセットの場合（側管投与）】

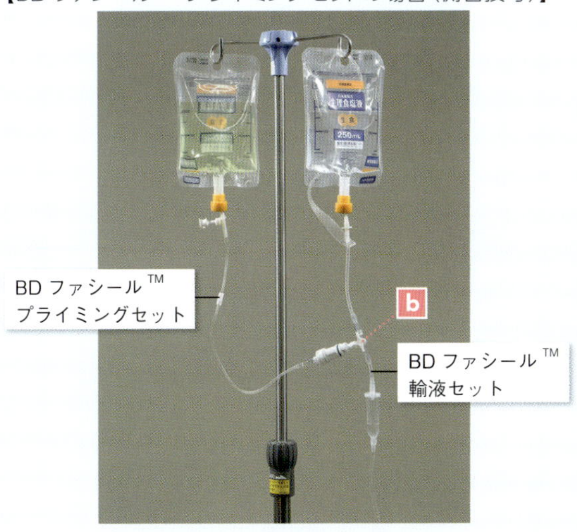

上記写真は，点滴筒なしタイプの例

- 4 の BD ファシール ™ プライミングセット（または 1 のシリンジ）を BD ファシール ™ 輸液セットと接続する（要消毒）

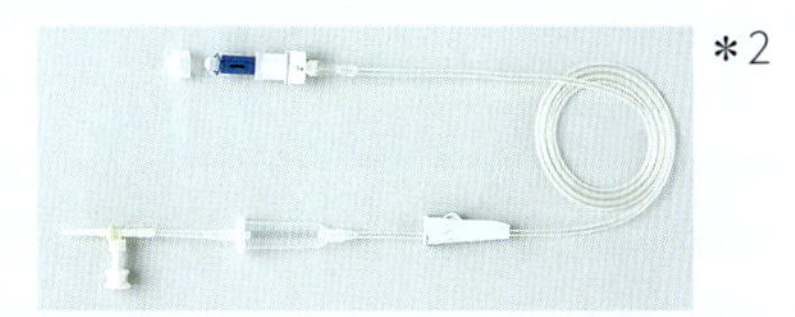

点滴筒ありのタイプもあり

〈多剤併用時〉

- 投与終了した輸液バッグの BD ファシール ™ プライミングセットと BD ファシール ™ 輸液セットの接続を外し，別のプライミングセットを装着した輸液バッグにつなぎかえる（1 薬剤につき 1 プライミングセット）

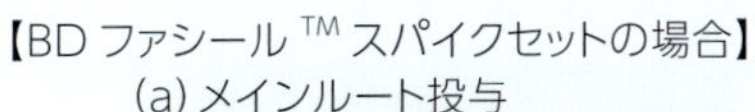

【BD ファシール ™ スパイクセットの場合】

(a) メインルート投与

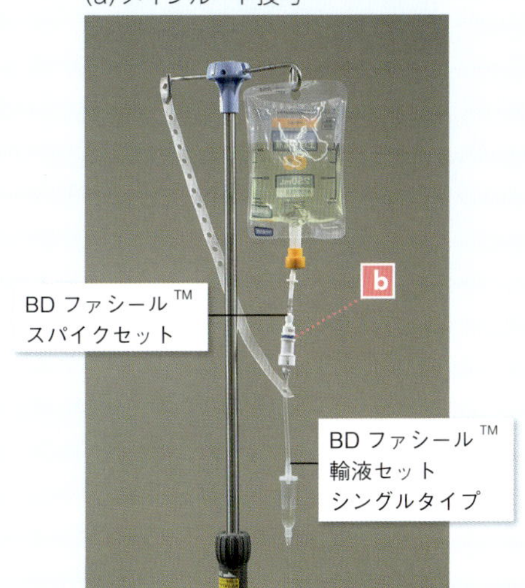

(b) 側管投与

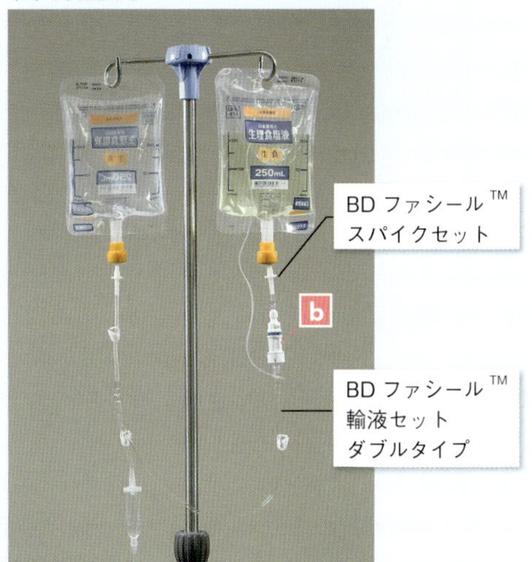

- 4 の BD ファシール ™ スパイクセットを BD ファシール ™ 輸液セットと接続する（要消毒）
- 投与終了した輸液バッグのスパイクセットと輸液セットの接続を外し，次の輸液バッグ（スパイクセット装着済）とつなぎかえる（1 薬剤につき 1 スパイクセット）
- 輸液セットの選択により，(a) メインルートからの投与，(b) 側管からの投与が可能である

6 廃棄

- いずれの場合も，抗がん薬投与終了後，接続ははずさず廃棄する

安全性

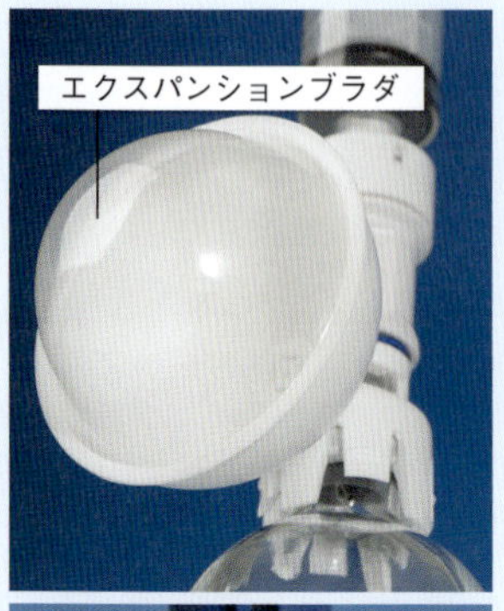

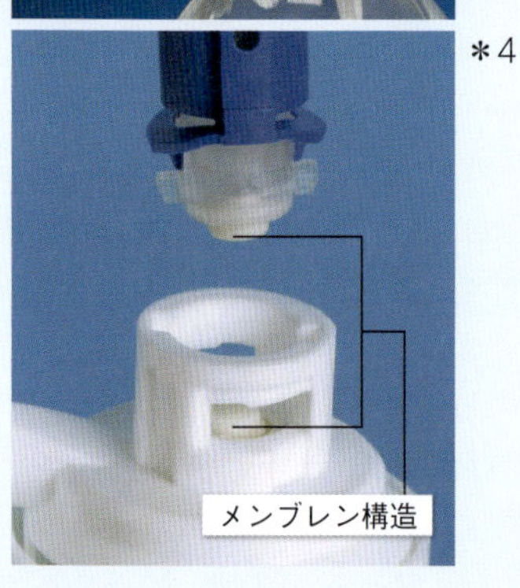

a 等圧機能を有するエクスパンションブラダが，薬液注入時に生じる圧力を調節するため，抗がん薬の飛び散りが起こらない（➡左図，1 調製）

b ダブルメンブレン構造の接続部により，高い閉鎖性を保ち抗がん薬の漏出を防ぐ（➡左図，1 調製～3 プライミング，5 投与）

製品の主な特徴

- 接続部のダブルメンブレン構造により，高い閉鎖性で薬剤の漏出を防ぎ，接続部はドライな状態を保つ
- 査読論文などの豊富なエビデンスがある

〔写真提供（＊ 1～4）：日本ベクトン・ディッキンソン株式会社〕

〔撮影協力（手技）：前 国立がん研究センター東病院薬剤部　野村久祥先生〕

調製・投与用

エクアシールド 株式会社トーショー

手順

※ a b c は安全性の特徴 (p.77)

1 調製

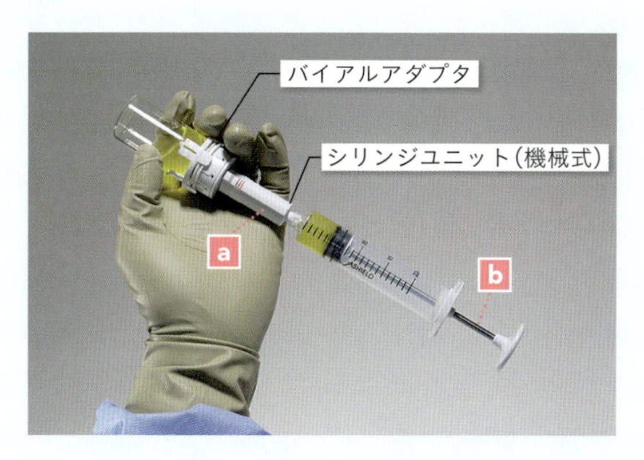

• バイアルアダプタ※を装着したバイアルからシリンジユニットに薬液を吸引する

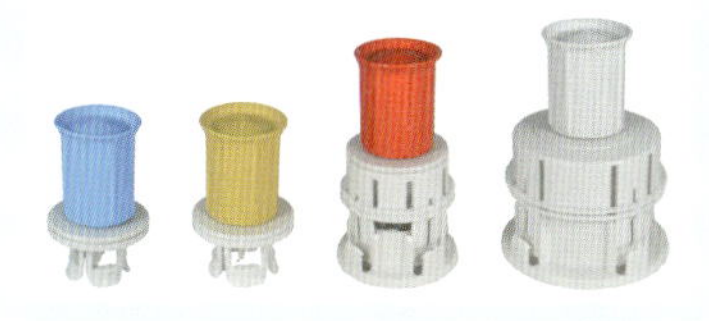

※さまざまなサイズに適応可能なバイアルアダプタがある

〔写真提供：株式会社トーショー〕

2 混注

【バッグスパイクの場合】

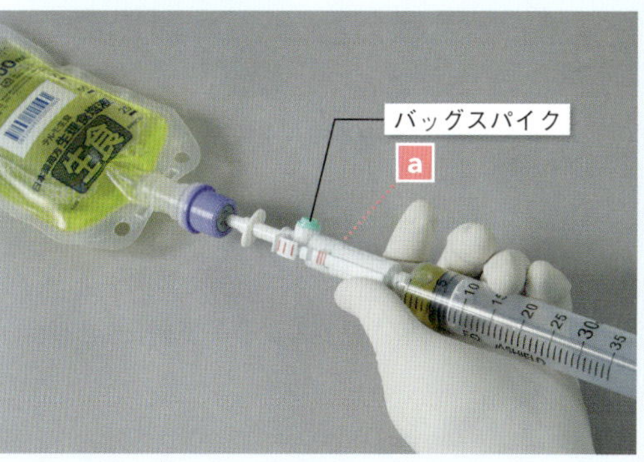

【閉鎖式スパイクアダプタ J の場合】

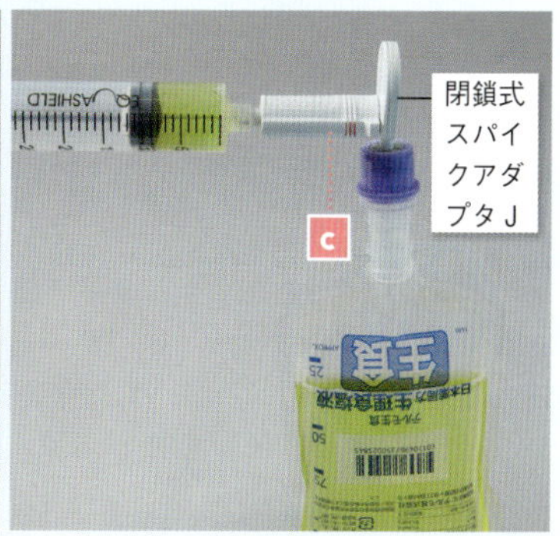

輸液バッグの口を上に向け，空気の入った空間に抗がん薬を混注する

• 抗がん薬の入っていない輸液バッグ(生理食塩液など)に，バッグスパイクまたは閉鎖式スパイクアダプタ J を接続する。
• 1 で必要量の薬液を吸引したシリンジユニットを接続し，混注する。

3 払い出し

【バッグスパイクの場合】

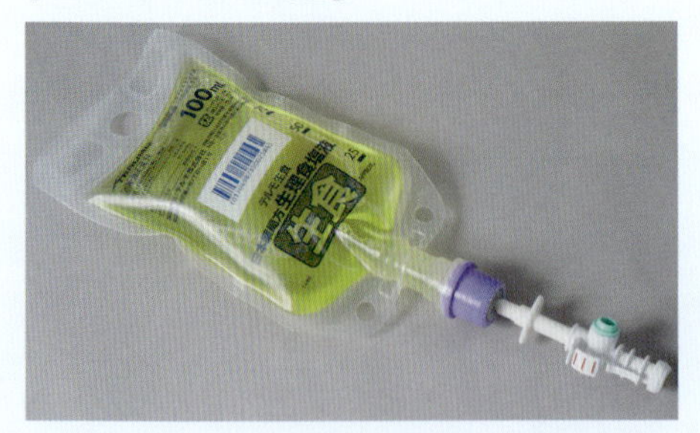

【閉鎖式スパイクアダプタ J の場合】

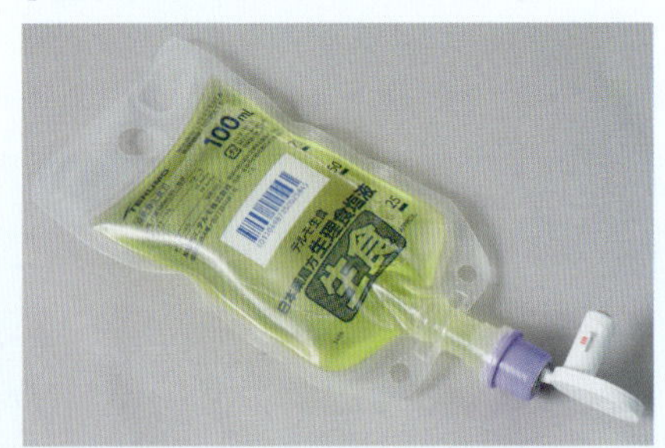

- 輸液バッグとバッグスパイクまたは閉鎖式スパイクアダプタ J は接続したままの状態で払い出される（2 混注は行わず，1 で薬液を吸引したシリンジでの払い出しも可）。

4 投与

【バッグスパイクの場合】　【閉鎖式スパイクアダプタ J の場合】

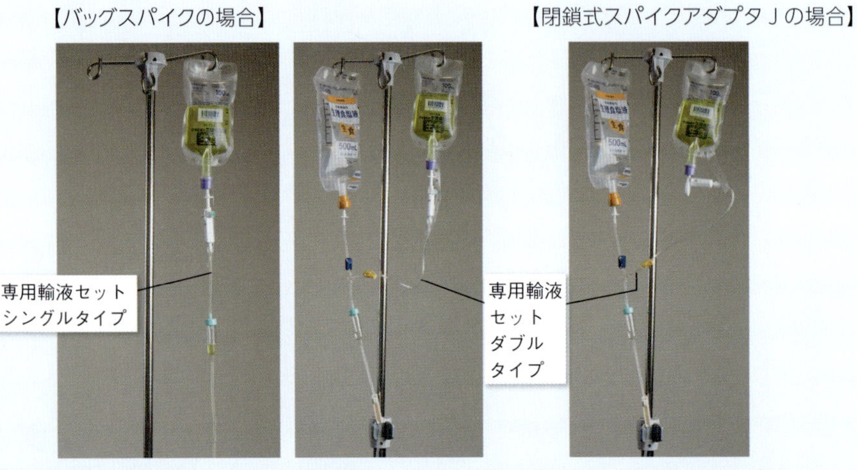

- 3 の調製済み輸液バッグを，専用輸液セットのメスルアーロックコネクタと接続する。（要消毒）
- 連続して投与する場合は，投与終了した輸液バッグのバッグスパイクまたは閉鎖式スパイクアダプタ J と輸液セットの接続をはずし，3 の状態で払い出された次の輸液バッグにつなぎかえる（1 薬剤につき 1 バッグスパイク，または 1 閉鎖式スパイクアダプタ J）
- シングルタイプを選択した場合はメインルートとして，ダブルタイプを選択した場合は側管ルートとして投与する。

5 廃棄

- シングルタイプ，ダブルタイプいずれの場合も抗がん薬投与終了後，接続ははずさず廃棄する

安全性

a～c

- バイアル⇔シリンジ間（a，➡1 調製），輸液バッグ⇔シリンジ間（c，➡2 混注）の液体または空気移動の際，容器間を繋ぐ液体用と空気用の針により，液体と気体の体積量を等しく保つことで，等圧を保つ（下図）

バイアルから薬液を吸引する場合

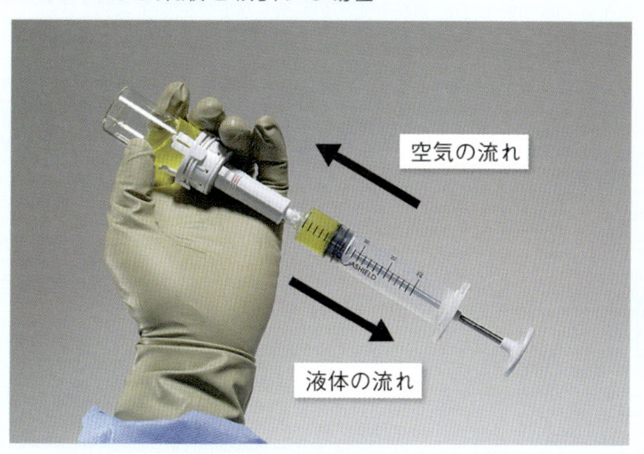

輸液バッグに薬液混注時

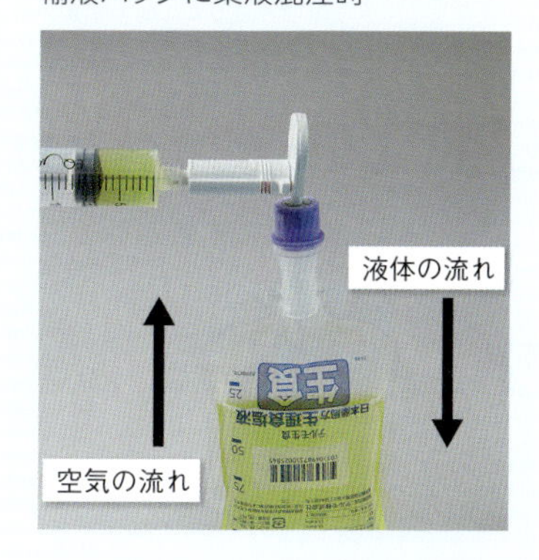

- シリンジユニットのプランジャー（押し子）部分が閉鎖しており，調製時のシリンジ後部からの曝露も防止する（b，➡1 調製）
- ダブルメンブレン構造の接続により，完全にドライかつ閉鎖状態での接続・切離しが可能。

c オスルアーロックコネクタの切離しはレバー式のため，レバーを押さない限りはずれることはない（➡4 投与）。

製品の主な特徴

- 米国食品医薬品局（Food and Drug Administration：FDA）が認可した CSTD の 1 つである。
- 部品点数が少なく，シンプルな操作性でありながら，曝露防止を十分考慮している。

〔撮影協力（手技）：前 国立がん研究センター東病院薬剤部　野村久祥先生〕

投与専用

Safe Access™クローズドC　日本コヴィディエン株式会社

本製品は，HDでの安全なプライミングを可能にするCSTDである（例：調製用CSTDのみ使用する場合などに有用）。

手順

※ a b c は安全性の特徴（p.80）

1 調製〜払い出し

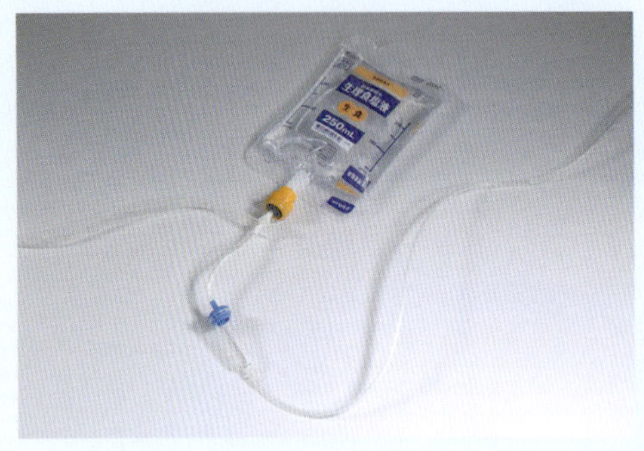

- 他社CSTDを使用し安全に調製を行う
- 抗がん薬入り輸液バッグに輸液セットのビン針を刺入し，払い出す（注意：この作業は安全キャビネット内で行われることが望ましい）

2 プライミングの準備

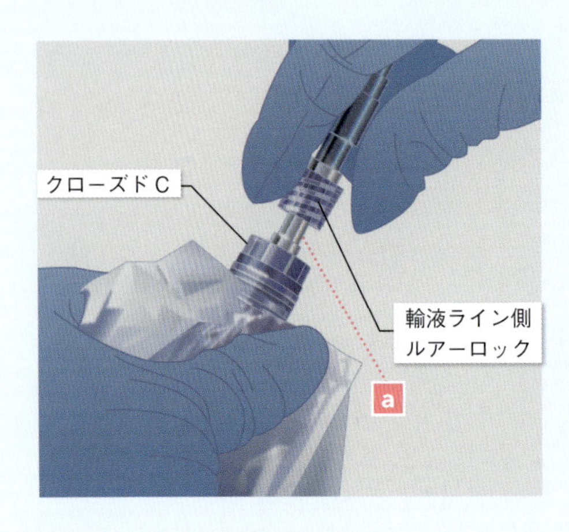

- 一般の輸液セットの先端にクローズドCを装着する（この時点でプライミングキャップのふたは開いている）

3 プライミングキャップを接続する

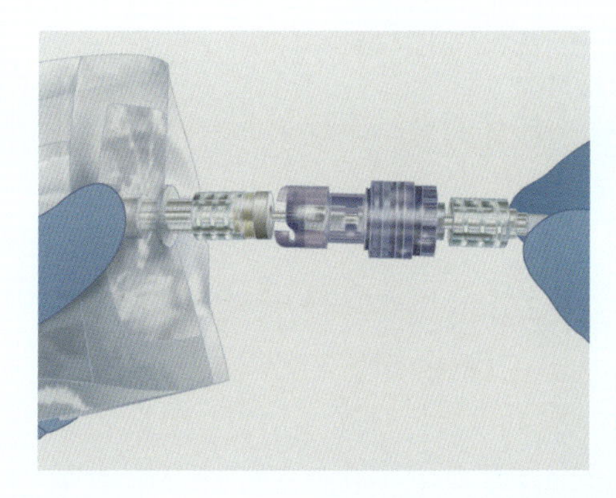

- プライミングを実施するための専用キャップをクローズドC本体に接続する

4 プライミング

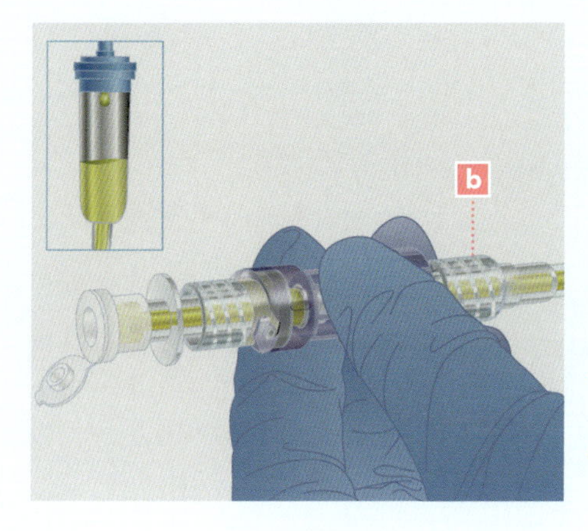

- 輸液セットのクレンメを開放しプライミングを行う
- キャップの先端まで薬液で満たされると，自動的にプライミングが終了する

5 プライミング終了

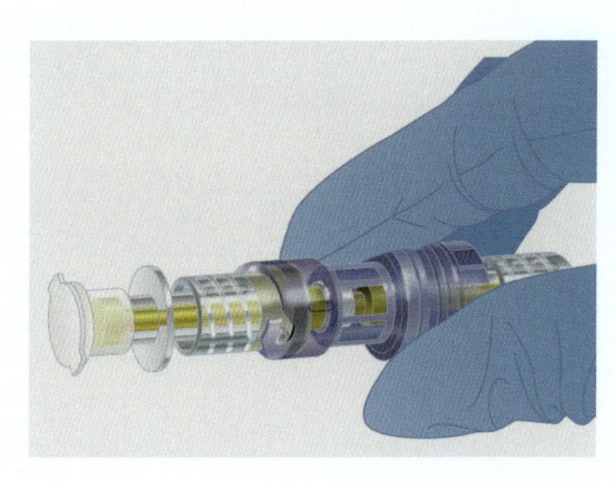

- 直ちにクレンメを閉じ，プライミングキャップのふたを閉じる

6 投与

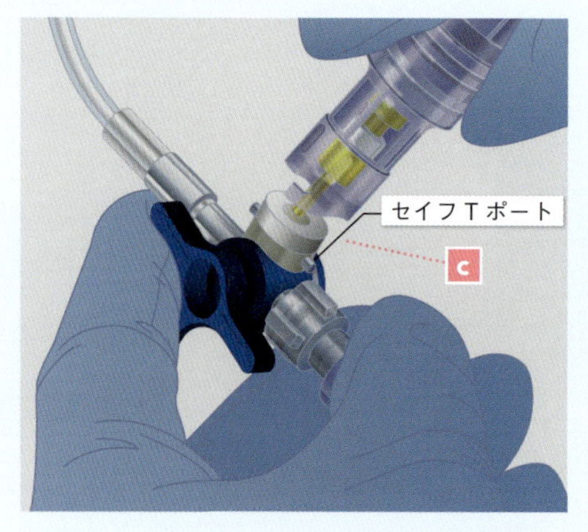

- プライミングキャップをはずし，メインルートのセイフＴポートに接続する
- はずしたプライミングキャップは，廃棄する

【連続して投与する場合】

- クローズドＣごと接続をはずし，同様に準備した次の輸液セットを接続する（1 薬剤につき，1 クローズドＣを装着した輸液セット）（接続時，要消毒）

7 廃棄

- 投与終了後，クローズドＣをセイフＴポートからはずし，輸液バッグからビン針を抜くことなくそのまま廃棄をする

安全性

a クローズドＣ本体に先端がルアー形状の輸液ラインを接続する。一度接続すると外れない機構となっている（➡2 プライミングの準備）

b プライミングキャップ先端に疎水性フィルターが入っており，先端までが薬液で満たされるまでは輸液ライン内のエアーのみ通過し，薬液は自動的にフィルター部分で止まり，プライミングが薬液を漏らすことなく自動でできる仕組みとなっている（➡4 プライミング）

c 閉鎖式三方活栓セイフＴポートにクローズドＣを接続することで流路が開通し投与可能となる（➡6 投与，下図左）
投与終了後，セイフＴポートからクローズドＣの接続をはずすと先端に陰圧がかかり薬液を引き込み，内部で流路が閉じるため薬液を漏らさない構造となっている（下図右）

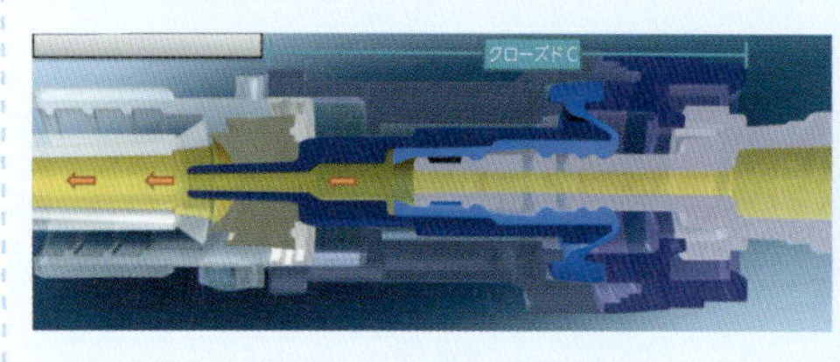

クローズドＣをセイフＴポートに接続しているとき

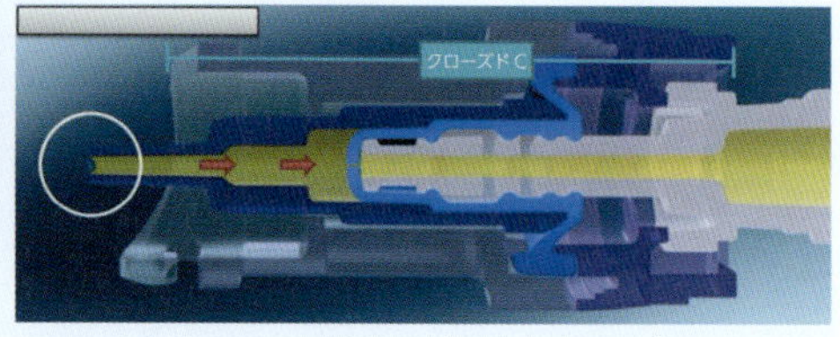

クローズドＣをセイフＴポートからはずしたとき

製品の主な特徴

- 感染対策面で有用なセイフアクセスシステムにクローズドＣを使用することで，「感染制御」と「抗がん薬曝露対策」を両立することができる
- 単品製品であるために既存の院内輸液システムに組み込むことができ，化学療法室をはじめとして病棟などでもすぐに曝露対策を実施することができる

〔イラスト提供（2～6，安全性）：日本コヴィディエン株式会社〕

COLUMN

小児への投与時の問題点とクローズドＣの活用

①サークルベッドや無菌室での投与には，CSTD一体型の長いルートが必要
⇒既存の小児用の長い輸液ルートの先端にクローズドＣを装着することで対策が可能

②成人と比較し，体動や接触等によりルートがはずれる可能性が高い
⇒万一はずれても，はずれた瞬間に陰圧機能が働き，液漏れを防止

③シリンジポンプでの投与時，シリンジポンプの構造上，押し子とスリットの部分に隙間があり，投与前に早送りを行う際にシリンジの先端から漏れる
⇒クローズドＣに疎水性フィルタ付きプライミングキャップを接続することで液漏れを防止

調製専用

ユニテクト　大和製罐株式会社，ニプロ株式会社

手順

※ a b c は安全性の特徴 (p.84)

1 プライミング

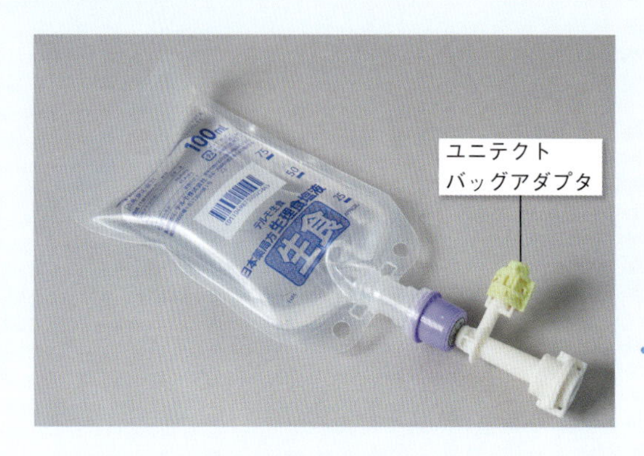

- 生理食塩液など，抗がん薬の入っていない輸液バッグにユニテクトバッグアダプタを接続する

2 調製

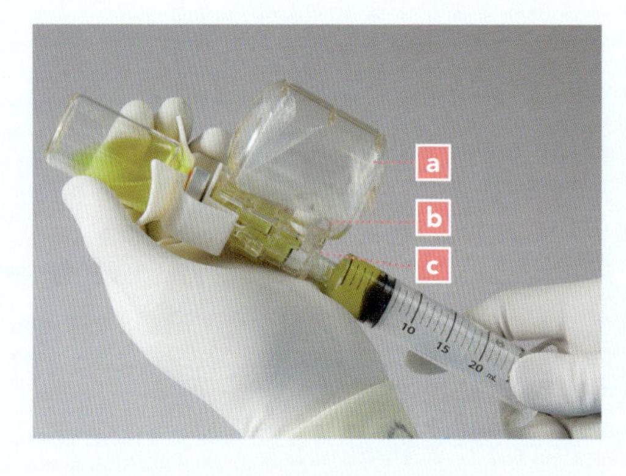

- ユニテクトバイアルアダプタを装着したバイアルから，ユニテクトシリンジアダプタを装着したシリンジに薬液を吸引する

3 混注

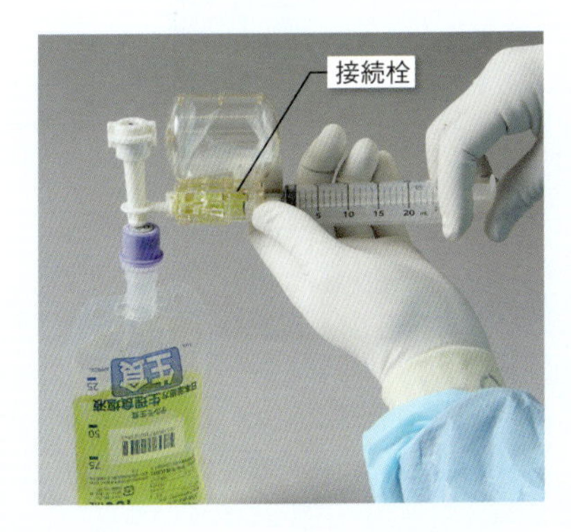

・ユニテクトバッグアダプタの接続栓にシリンジアダプタを接続し，輸液バッグの気中に抗がん薬を混注する

4 払い出し

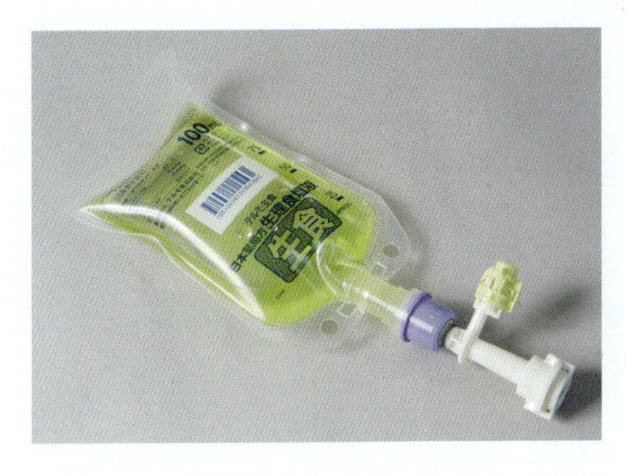

・輸液バッグに，ユニテクトバッグアダプタを接続した状態で払い出される

※本製品は現時点（2020 年 2 月）では調製専用だが，投与に用いる場合は以下のように使用する。1 でバッグアダプタに輸液ルートを接続し，プライミングした上で 3 混注を行い，4 払い出す。これを側管としてメインルートに接続し，投与する。

※ 2020 年夏に投与システムを上市予定。

安全性

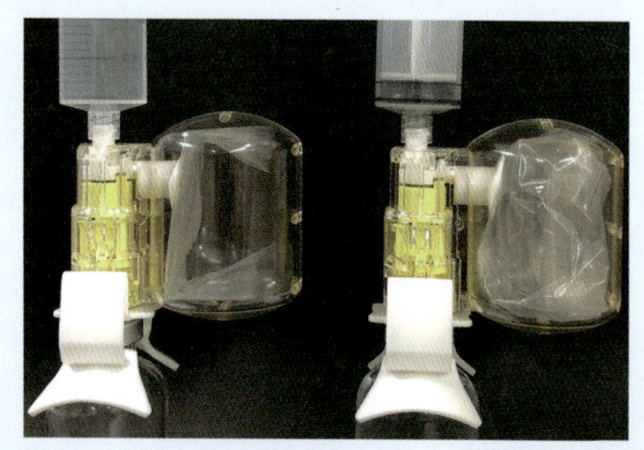

a シリンジアダプタに内蔵した差圧調整バッグ（バルーン）が，バイアルへ溶解液を注入時にバイアル内の空気を貯留することでバイアル内の圧力上昇を防ぎ，それによる薬剤の飛散を防ぐ

差圧調整バッグ（バルーン）の外側は硬質樹脂製カバーで覆われている為，差圧調整バッグが押されることによるバイアル内圧上昇や，他器具の引っ掛けや針刺し等による穴空きによる曝露を防ぐ

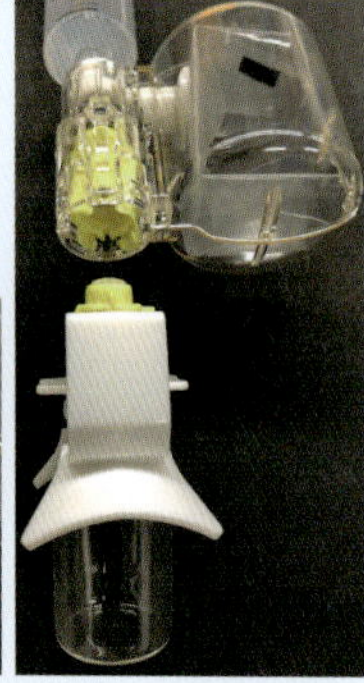

b 接続時は両者のラバーシール同士が強く押し付けられて密着してから金属針が連通する。分離時は金属針がラバーシール内に格納されてからラバーシール同士が分離される。これらの動作機構により，薬剤の飛散や付着を防ぐ。
また，この金属針は横穴（ペンシルポイント）の為，コアリングを低減する。

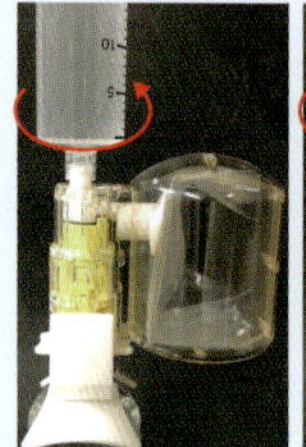

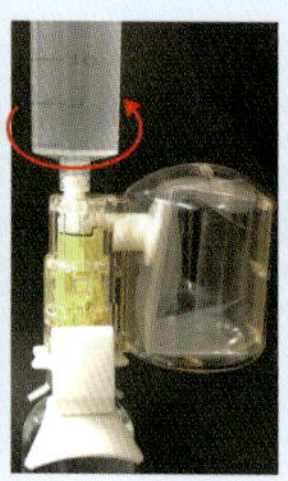

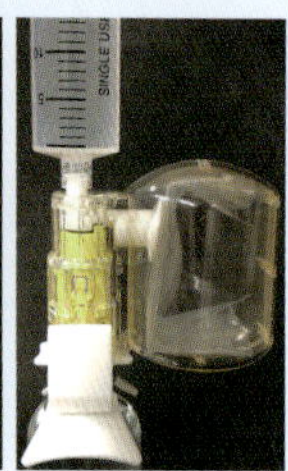

c 一度シリンジを取り付けると，反対方向（半時計回り）に回しても，空転してシリンジが外れない為，シリンジの誤操作による薬液飛散を防ぐ。
また，空回しすることでシリンジの目盛を任意の位置に向けることができ，視認性・操作性を向上させ，間違い無き調剤に貢献する。

製品の主な特徴

- 一規格のバイアルアダプタで，Φ13～32 mm のバイアル口径に対応
- 操作が簡単シンプル
- 差圧調整部をシリンジアダプタに搭載

〔撮影協力（手技）：前 国立がん研究センター東病院薬剤部　野村久祥先生〕

3 ›› CSTD を用いた局所投与

局所投与に使用する HD は，安全キャビネット内で CSTD を用いて調製し，CSTD を接続した状態で「調製済 HD バイアル」または「調製済 HD を CSTD シリンジに採液した状態」で払い出す。これらバイアルやシリンジの表面は不潔とみなすため，投与時にシリンジ表面の無菌性が必要か否かにより，適した払い出し方法を選択するとよい。

投与時にシリンジ表面の無菌性が必要な場合は，「調製済 HD バイアル」で払い出し，清潔野で CSTD を装着した清潔シリンジに閉鎖的に採液し投与する。シリンジ表面の無菌性が必ずしも必要ない場合（膀胱注入時）は，「調製済 HD を CSTD シリンジに採液した状態」で払い出し，このシリンジから直接投与する（表 2-5）。

■TACE（肝動脈化学塞栓療法）でエマルジョン作成する場合

清潔野で，①「調製済 HD バイアル」から上記方法で清潔シリンジに採液，②油性造影剤を滅菌シリンジに採液しシリンジ先端に CSTD を装着する。清潔野で三方活栓の開放部 2 方向に CSTD を装着，片方に調製済 HD を採液したシリンジ，もう片方に油性造影剤を採液したシリンジを接続する。双方の押し子を押して薬液を数回移動させ，HD と油性造影剤を混合，最終的に片方のシリンジに必要量を採液する。穿刺カテーテル側に CSTD を装着し，閉鎖的に投与する（表 2-5）。

表 2-5 CSTDを用いた局所投与

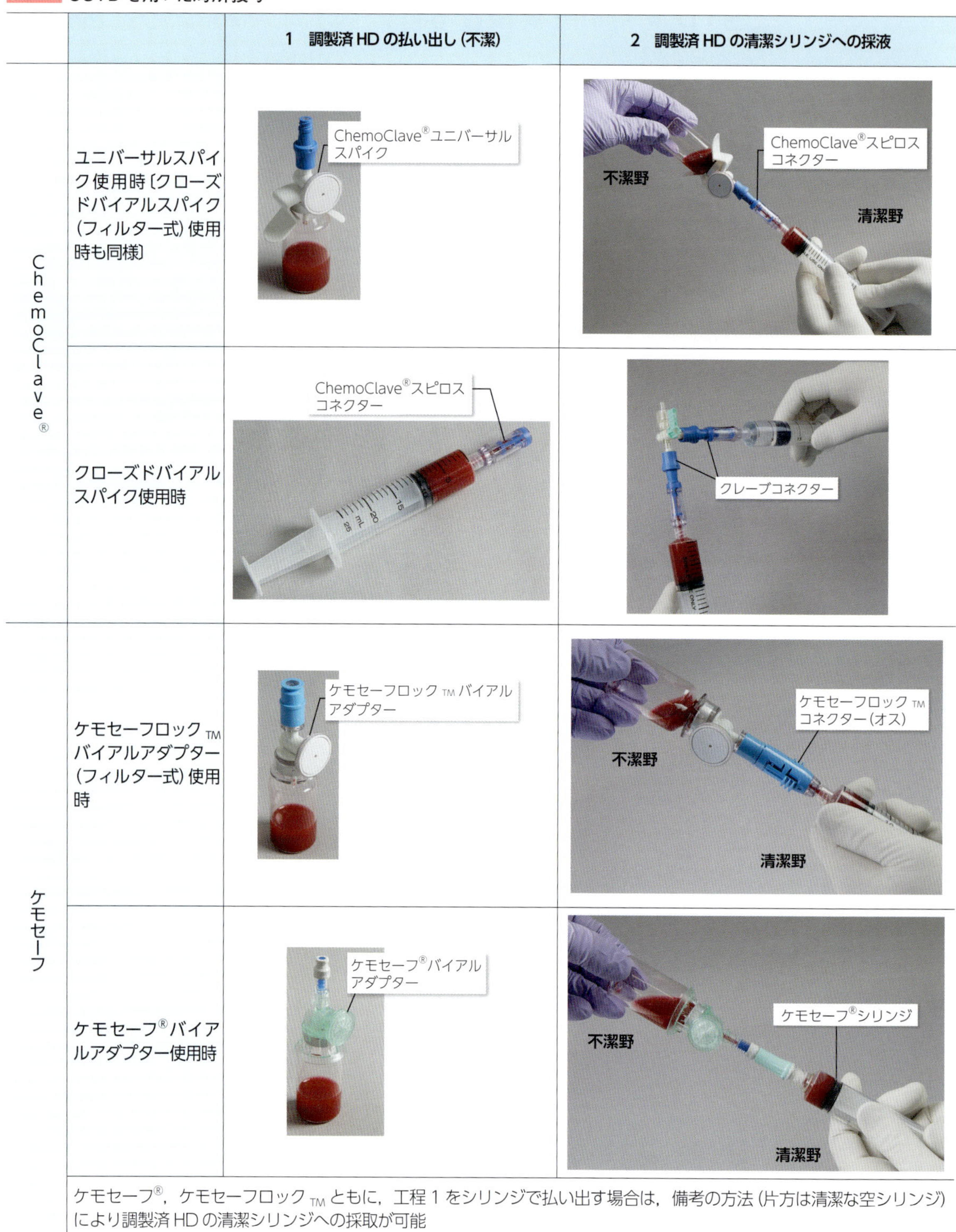

		1 調製済HDの払い出し（不潔）	2 調製済HDの清潔シリンジへの採液
ChemoClave®	ユニバーサルスパイク使用時〔クローズドバイアルスパイク（フィルター式）使用時も同様〕	ChemoClave®ユニバーサルスパイク	ChemoClave®スピロスコネクター 不潔野 清潔野
	クローズドバイアルスパイク使用時	ChemoClave®スピロスコネクター	クレーブコネクター
ケモセーフ	ケモセーフロック TM バイアルアダプター（フィルター式）使用時	ケモセーフロック TM バイアルアダプター	ケモセーフロック TM コネクター（オス） 不潔野 清潔野
	ケモセーフ®バイアルアダプター使用時	ケモセーフ®バイアルアダプター	ケモセーフ®シリンジ 不潔野 清潔野
	ケモセーフ®，ケモセーフロック TM ともに，工程1をシリンジで払い出す場合は，備考の方法（片方は清潔な空シリンジ）により調製済HDの清潔シリンジへの採取が可能		

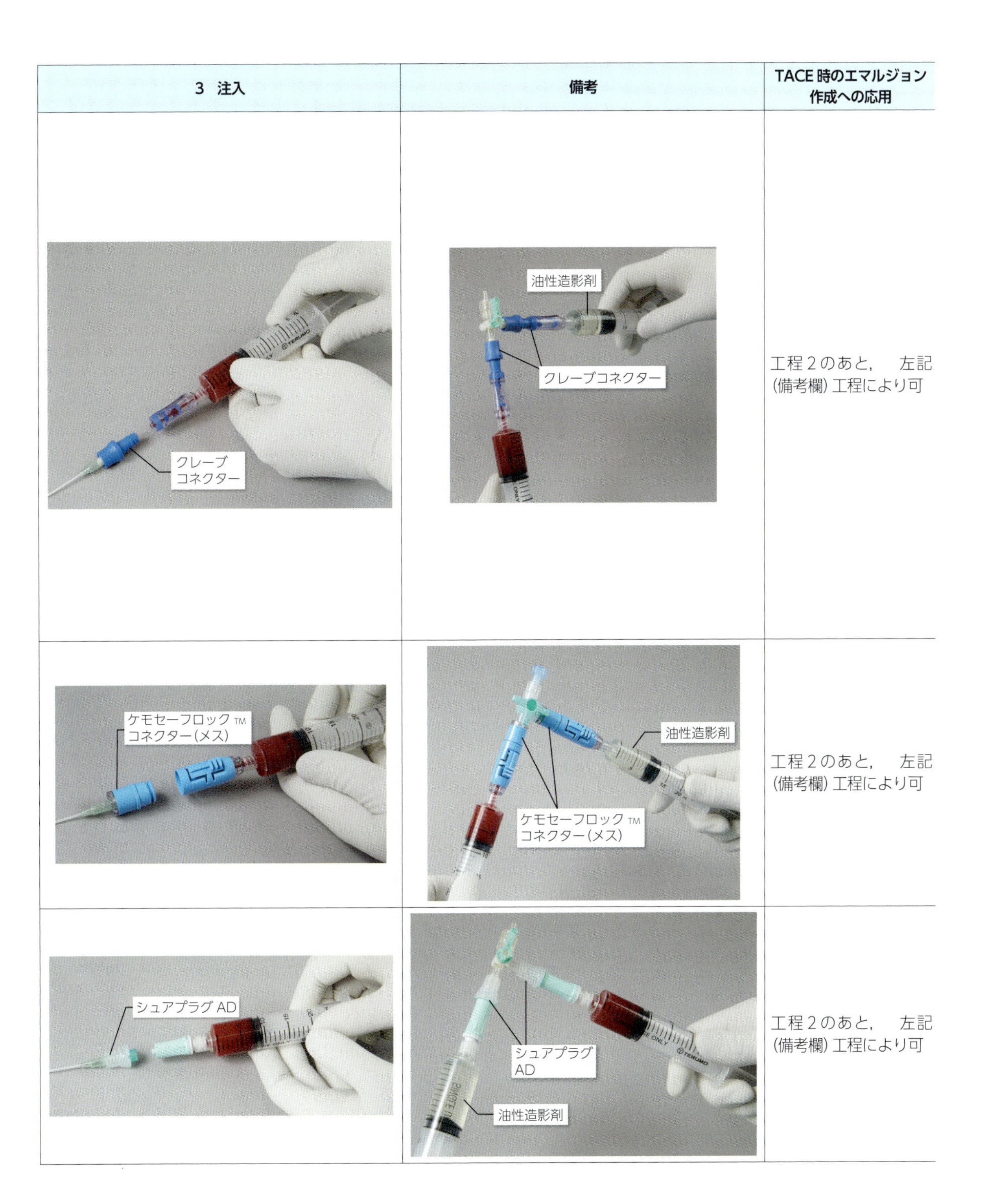

3 注入
備考
TACE時のエマルジョン作成への応用
クレーブコネクター
油性造影剤
クレーブコネクター
工程2のあと，左記(備考欄)工程により可
ケモセーフロックTM コネクター(メス)
油性造影剤
ケモセーフロックTM コネクター(メス)
工程2のあと，左記(備考欄)工程により可
シュアプラグAD
シュアプラグAD
油性造影剤
工程2のあと，左記(備考欄)工程により可

（続く）

表 2-5 （続き）

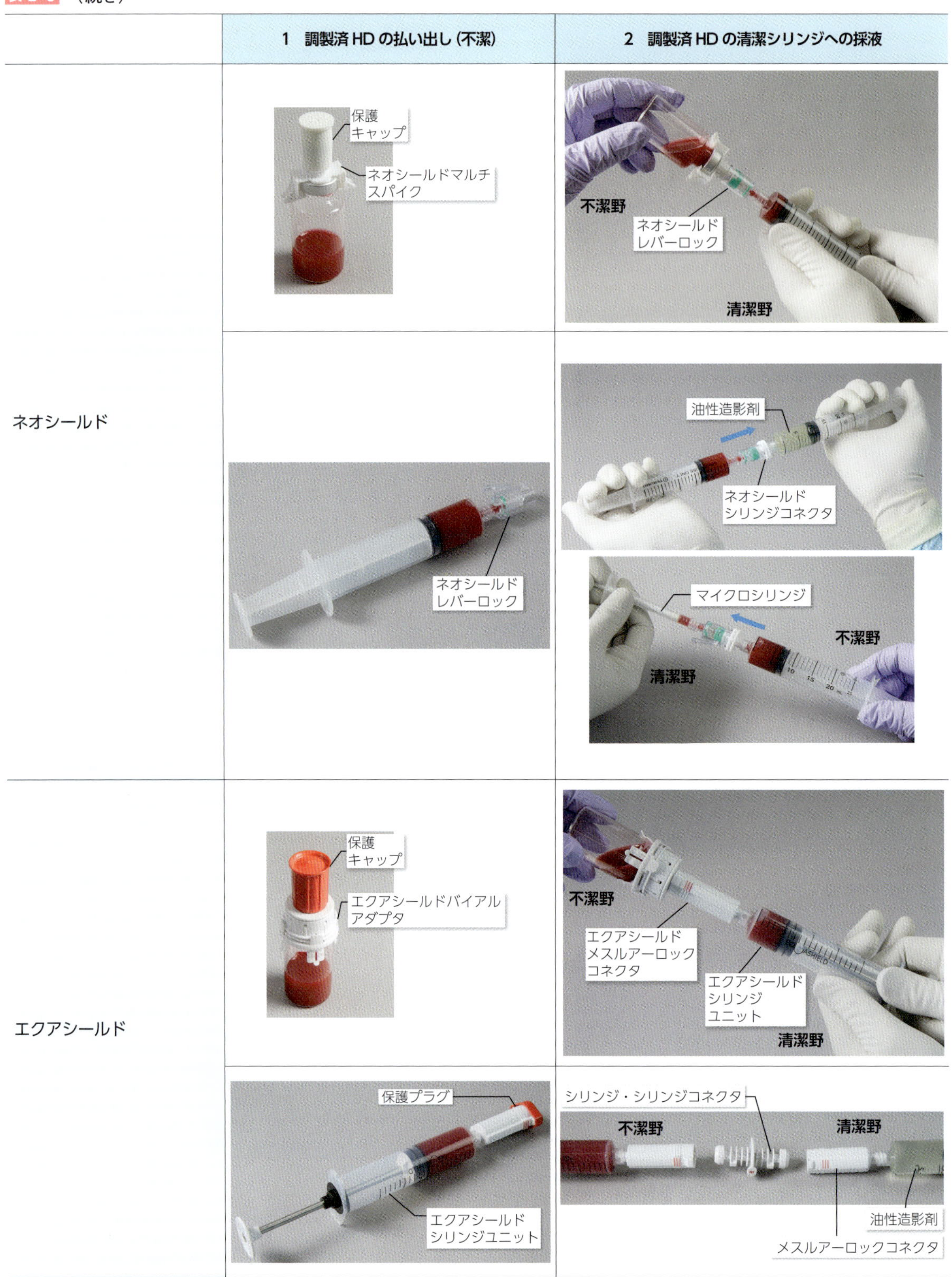

1 調製済 HD の払い出し（不潔）
2 調製済 HD の清潔シリンジへの採液
ネオシールド
保護
キャップ
ネオシールドマルチ
スパイク
不潔野
ネオシールド
レバーロック
清潔野
ネオシールド
レバーロック
油性造影剤
ネオシールド
シリンジコネクタ
マイクロシリンジ
不潔野
清潔野
エクアシールド
保護
キャップ
エクアシールドバイアル
アダプタ
不潔野
エクアシールド
メスルアーロック
コネクタ
エクアシールド
シリンジ
ユニット
清潔野
保護プラグ
エクアシールド
シリンジユニット
シリンジ・シリンジコネクタ
不潔野
清潔野
油性造影剤
メスルアーロックコネクタ

3　注入	備考	TACE 時のエマルジョン作成への応用
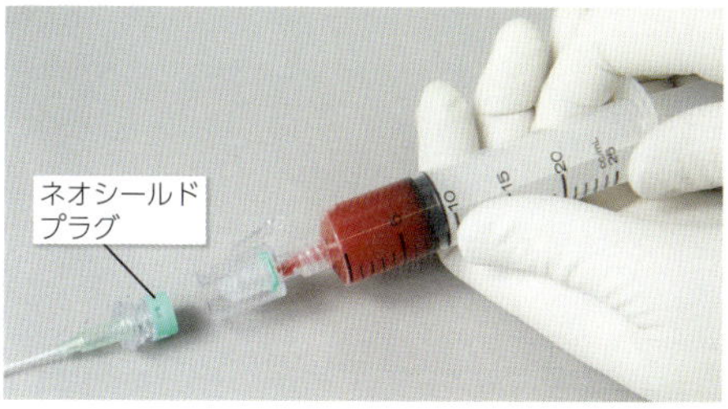 ネオシールドプラグ		
ネオシールドプラグ		工程 2 により可
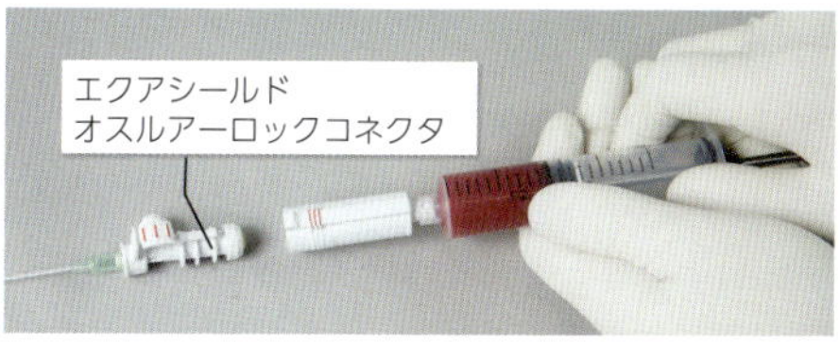 エクアシールドオスルアーロックコネクタ		
		工程 2 により可

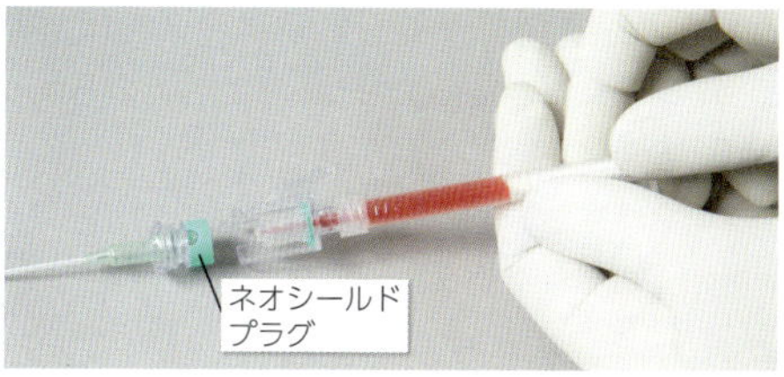

（続く）

表 2-5 （続き）

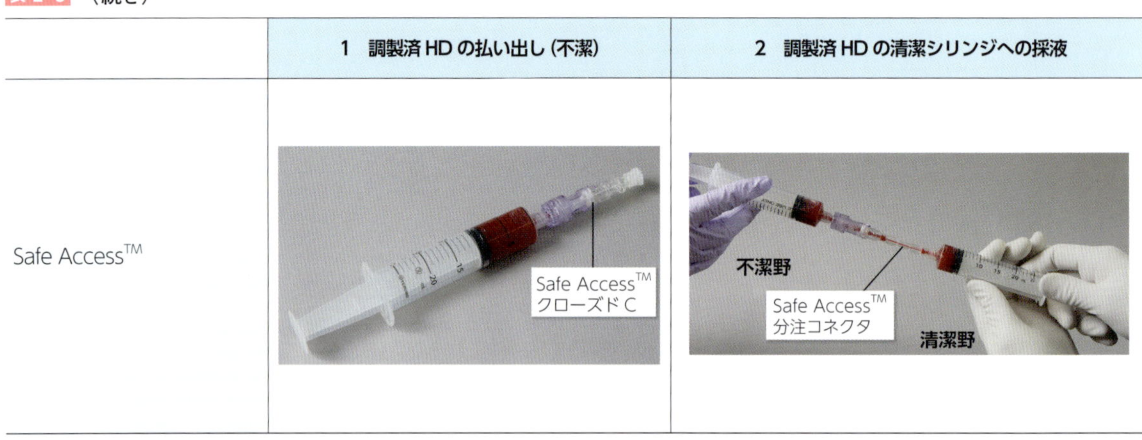

	1 調製済 HD の払い出し（不潔）	2 調製済 HD の清潔シリンジへの採液
Safe Access™		

■膀胱内投与の場合

2way の場合

膀胱留置カテーテル用のコネクタ（図 2-5 のコネクタ（A））と，閉鎖式コネクタ（表 2-6 のコネクタ（B）：①～⑤）を接続し，採尿バッグ側（排尿用ファネル）に装着，閉鎖式シリンジから投与する。または，尿道留置カテーテルの採尿バッグ側に直接，閉鎖式カテーテルコネクタ（表 2-6 の（B）：⑥）を接続し，閉鎖式シリンジから投与する。投与後はフラッシュしカテーテルを抜去する（または閉鎖式コネクタ（B）を除去後，採尿バッグを接続する）。

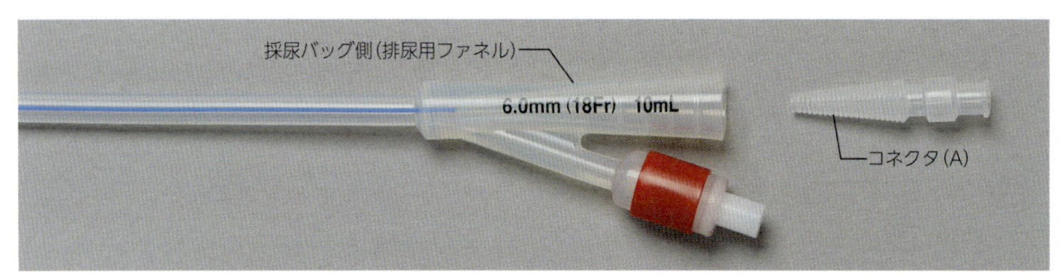

2way

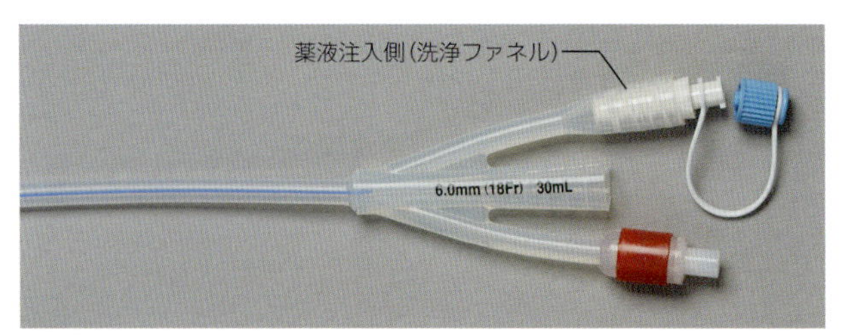

3way

図 2-5 膀胱留置カテーテルとコネクタ

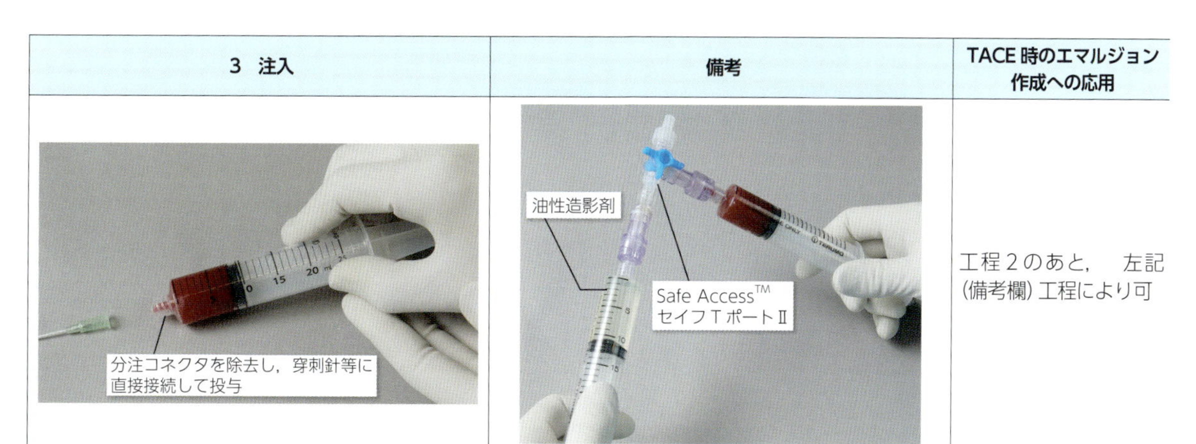

3 注入	備考	TACE 時のエマルジョン作成への応用
分注コネクタを除去し，穿刺針等に直接接続して投与	油性造影剤 Safe Access™ セイフＴポートⅡ	工程２のあと，　左記（備考欄）工程により可

〔撮影協力（手技）：前 国立がん研究センター東病院薬剤部　野村久祥先生〕

3way の場合

膀胱留置カテーテルの薬液注入側（洗浄ファネル）に閉鎖式コネクタ（表 2-6 の(B)：①〜⑤，⑦）を直接接続し，閉鎖式シリンジから投与，フラッシュする。いずれの場合も，投与後，閉鎖式コネクタは除去しない。

■髄腔内投与の場合

一般に，髄腔内注射は神経麻酔用注射針を用いて行われている。近年，医療機器などで分野間の相互接続を防止するコネクタに係る国際規格〔ISO（IEC）80369 シリーズ〕の制定が進められており，神経麻酔分野では，2020 年 2 月末で旧規格製品の出荷が終了する。そのため髄腔内注射においては，前項の「CSTD を用いた局所投与」で紹介した方法が使用できなくなった。これに対応し，新規格のメスコネクタに適合する CSTD が上市されている（表 2-7）。

表 2-6 膀胱留置カテーテルの閉鎖式コネクタとシリンジ

		閉鎖式コネクタ (B)	閉鎖式シリンジからの投与
日本コヴィディエン (株)	①	Safe Access™ セイフ A プラグ 	Safe Access™ クローズド C 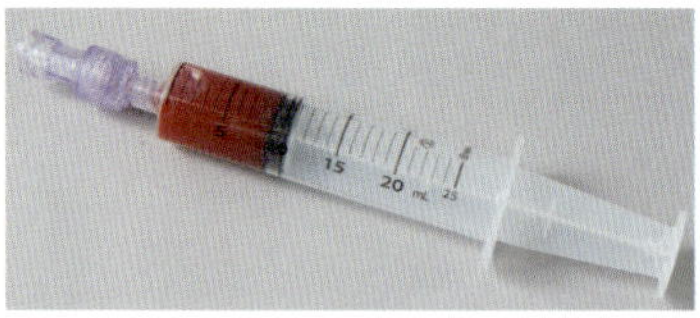
(株) ジェイ・エム・エス	②	ネオシールドプラグ 	ネオシールドレバーロック 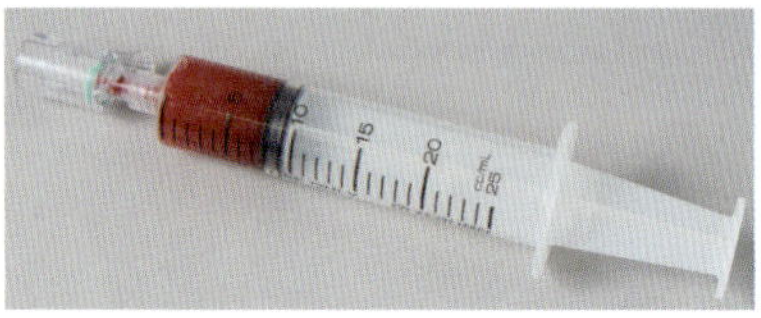
テルモ (株)	③	ケモセーフロック ™ コネクター (メス) 	ケモセーフロック ™ コネクター (オス) 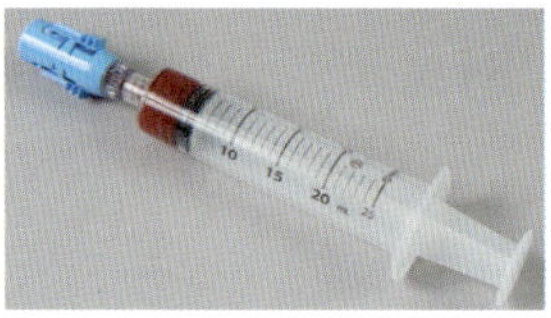
	④	シュアプラグ AD 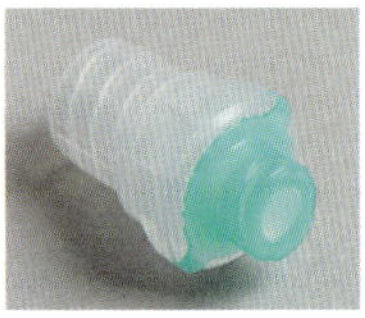	ケモセーフ®シリンジ 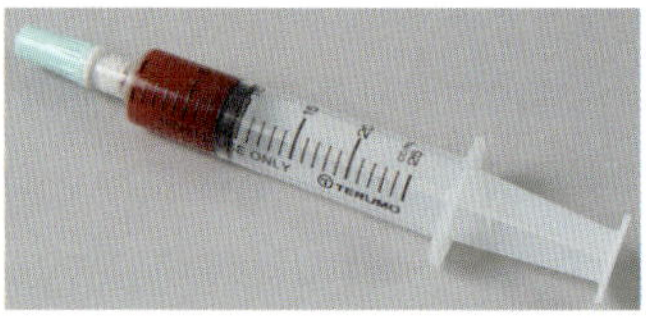
パルメディカル (株)	⑤	クレーブコネクター 	ChemoClave® スピロスコネクター 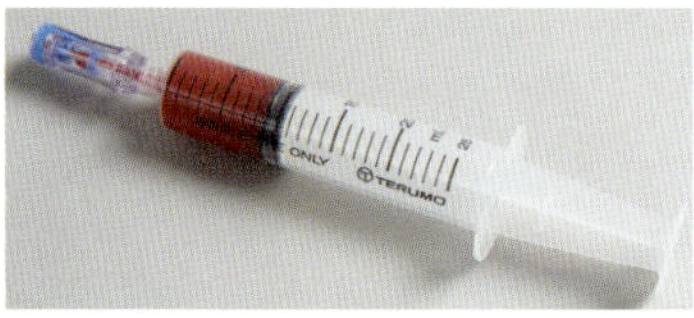

表 2-6 （続き）

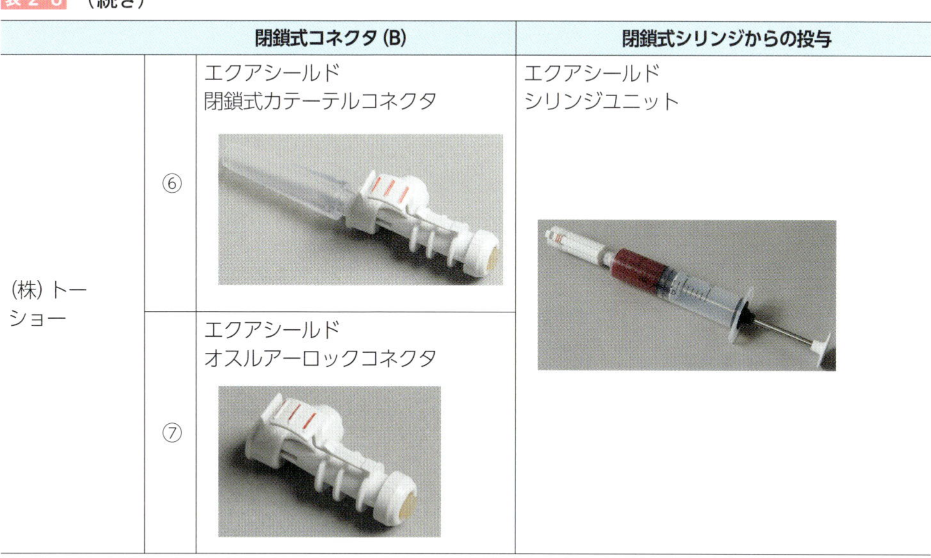

		閉鎖式コネクタ (B)	閉鎖式シリンジからの投与
(株) トーショー	⑥	エクアシールド 閉鎖式カテーテルコネクタ	エクアシールド シリンジユニット
	⑦	エクアシールド オスルアーロックコネクタ	

表 2-7 髄腔内注射の新規格に対応した CSTD

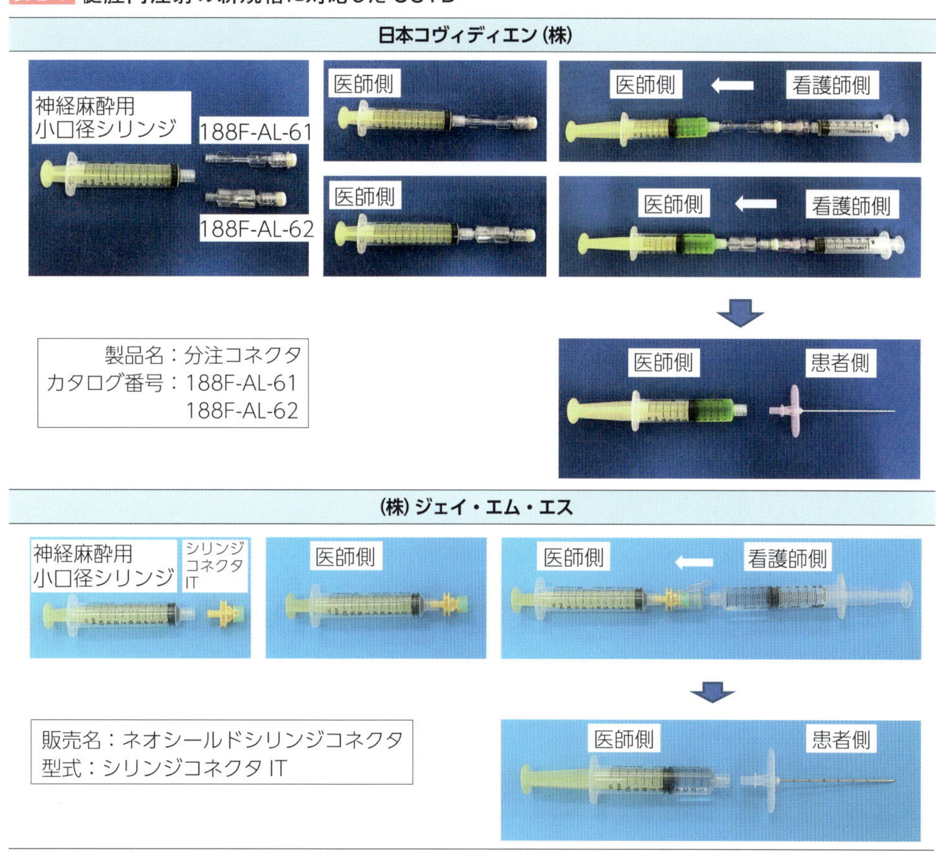

4 ›› 参考 -CSTDの導入にあたって

日本では診療報酬上の要件として，悪性腫瘍に対して用いる注射薬に閉鎖式接続器具を用いて無菌製剤処理を行った場合に，180点の無菌製剤処理料を算定することができる。一方，注射薬の投与にCSTDを用いた場合の診療報酬加算はない(2020年1月現在)。そのため投与用のCSTDは普及していないのが現状である。しかし，近年，すべての抗がん薬の調製・投与にCSTDを導入，または導入検討を始めた施設も散見される。投与CSTDの導入を実現した施設で中心的役割をはたした看護師の経験談を紹介する。

経験談紹介

[その① 投与CSTD導入までのプロセス]

2008年，自施設では揮発性の高い薬剤の調製時にCSTDを導入することとなりました。これを機に，がん化学療法看護認定看護師として，化学療法委員会で曝露の現状や投与CSTDに関する情報提供，導入の提案を行ってきましたが，自・他施設の動向をみながら進めていく方針となりました。

2014年に投与CSTDの見積を依頼したところ，高額な持ち出しとなるためいったん保留となりました。しかし，同年，厚生労働省より通知が出たことを機に再交渉を始め，院内の感染対策委員会ならびに医療安全委員会に提言，最終的にはがん化学療法委員会から院長に提言して，導入の承認を得ました。

この過程では，周囲は「今まで普通に取り扱ってきた薬剤に対して，今さらなぜ？」という反応で，なかなか理解が得られず苦労しました。エビデンスの提示，タイミングよく動くこと，誰に(どの組織に)まず理解を求めて味方になってもらうかを考えて行動することが肝要だと思いました。自施設では，曝露対策について問題意識をもつ薬剤師と協働できたことが大きな力になったと考えています。

[その② 投与CSTD導入後のプロセス(すべての抗がん薬に投与CSTDを導入した施設)]

最初は，化学療法室で曜日・レジメン限定でCSTDを導入し，まずは化学療法室スタッフが取り扱いに慣れることにしました。

その後，導入するCSTDメーカーの協力を得て，すべての看護師と化学療法に携わる医師を対象とした研修会を開催しました。研修会は1回30分で，CSTDの基本的な取り扱いについて同じ内容を1日15回，4日間開催し，必ず全員が参加できるようにしました。化学療法の件数が多く，レジメンの複雑な血液内科では，輸液ラインの組み方なども含め，別途研修会を行いました。

このように段階的に導入することで，大きな混乱なく，CSTDの取り扱いが行えるようになりました。

引用文献

1）一般社団法人日本がん看護学会，公益社団法人日本臨床腫瘍学会，一般社団法人日本臨床腫瘍薬学会（編）：がん薬物療法における職業性曝露対策ガイドライン 2019 年版．p.36，金原出版，2019.

（平井 和恵）

安全のための環境整備・物品
③ 個人防護具(PPE)

個人防護具(personal protective equipment：PPE)は，HDやその成分を含む排泄物・リネン類を取り扱う際，皮膚や粘膜への曝露を直接防ぐ役割をはたす。

ヒエラルキーコントロールにおいては，「最も効果が低い」に位置づけられるが(第2章A「ヒエラルキーコントロールの考え方」➡p.48)，個人レベルでの曝露対策としては最も基本的で重要なものである。

PPEには，手袋，ガウン，呼吸器防護具(N95マスク)，眼・顔面防護具(フェイスシールド/ゴーグル/サージカルマスク)，その他(腕カバー，靴カバー，ヘアキャップなど)があり，曝露のリスクに応じて適切なPPEを選択し，適切に着脱・廃棄する必要がある。

各施設においては，業務場面ごとに使用するPPEをルール化して周知し，決められた方法が現場で実際に守られているかを定期的に評価する必要がある。

1 適切なPPEの選択と使い方

HDの調製時，投与時，こぼれたHDの処理時には，抗がん薬耐性試験済み，または，ASTM規格(米国試験材料協会，ASTM Internationalによる)に準拠したPPEを選択する(COLUMN「ASTM規格」)。

投与後の患者の排泄物・体液やそれらで汚染したリネン類の取り扱い時に着用するPPEは，特に試験済製品である必要はなく，一般のものでよい。

上記いずれの場合も，PPEは使い捨てとする。適切なPPEの選択と使い方について表2-8に示す。

わが国では現在，ASTM規格製品として，手袋(D6978-05)のほか，ガウン，腕カバー，靴カバーが販売されている(表2-9 a, b, c)。また，これらの試験済製品を組み合わせて各施設でスピルキットを作成することも可能である。

1 ›› 手袋

1社から薄手(または短め)のものと厚手(または長め)のものが販売されている場

合が多く，2枚着用時にはインナー，アウターとして組み合わせて使用可能である。

HDの静脈内投与管理やこぼれ処理で2枚着用する場合，内服介助など，業務内容により1枚着用とする場合はどの手袋を選択するのか，目的に応じて適切に使い分けられるよう施設内でルールを検討するとよい。

2 ›› 呼吸器防護具

呼吸器防護具（N95マスク）は多くのメーカーから販売されており，大別すると3種ある（図2-6）。

3 ›› 眼・顔面防護具

特にHD取り扱い用のものはないが，目的に応じて適切なものを選択する（表2-10）。なお，HDの曝露対策において，サージカルマスクは呼吸器防護具にはならず，鼻・口周囲の顔面防護具と位置づけられる。

いずれのPPEについても，前提としてPPEを装着していることを過信するのではなく，調製や投与の際，エアロゾルや飛沫，漏出を最小限とする適切な手技で行うことが重要である。

COLUMN

ASTM規格

世界最大規模の標準化団体であるASTM International（米国試験材料協会：旧称American Society for Testing and Materials）が策定・発行する規格で，わが国のJIS（Japanese Industrial Standard：日本工業規格）に相当する。

薬物療法用の手袋について，現在の基準はASTM D6978-05「医療用手袋の化学療法薬剤の透過に対する抵抗性の評価基準」である。ASTM D6978-05以前には，ASTM F739「連続接触の状況下での防護衣料の液体又は気体の透過に対する抵抗性」に基づいて試験を行っていたが，ASTM D6978-05はASTM F739よりも化学物質透過性について10倍以上厳しい要求基準となっている。手袋以外のPPE（ガウン，腕カバー，靴カバー）についても，ASTM D6978-05により試験された製品が販売されている。本書では，手袋については現在の基準であるASTM D6978-05，手袋以外のPPEについてはASTM D6978-05, ASTM F739によって試験された製品を，参考として紹介する（表2-9）。

表 2-8 適切な PPE の選択と使い方

PPE		目的	HD の取り扱い時（調製，投与～廃棄，こぼれ処理）	
			推奨される製品の特徴	適用場面
手袋		手指への HD の付着防止	• 抗がん薬耐性試験済み，または ASTM 規格に準拠している • パウダーフリー（手袋のパウダーは汚染物質を吸収，分散し，表面汚染を増大させる可能性がある） • ニトリル製，ラテックス製，クロロプレン製	• 2 枚着用：調製，投与（錠剤・カプセル剤の内服介助で薬剤に直接触れない場合を除く），こぼれ処理時 • 1 枚着用：錠剤・カプセル剤の内服介助時（薬剤に直接触れない場合），運搬時
ガウン		身体や衣服への HD の付着防止	• 抗がん薬耐性試験済み，または ASTM 規格に準拠している • 糸くずが出ず，低浸透性の繊維製（ポリエチレンでコートされたポリプロピレン素材，ポリエチレン製またはポリビニル製） • 長袖，後ろ開きで前が閉じており，袖口が絞ってある	• 調製，投与（錠剤・カプセル剤の内服介助時，坐剤挿入時を除く），こぼれ処理時に着用（エプロンでは腕への曝露を防御できない）
呼吸器防護具（N95 マスク）		HD のエアロゾルや微粒子の吸入防止	• NIOSH の N95 規格に準拠している	• 注射薬の調製・投与（CSTD を使用しない場合），散剤・吸入薬の投与，簡易懸濁法・経管注入時に着用
眼・顔面防護具（ゴーグル / フェイスシールド / サージカルマスク）		眼球や顔面への HD の付着防止	• 視野が十分確保でき，顔面にフィットする	• 注射薬の調製・投与（CSTD を使用しない場合），散剤・吸入薬の投与，液剤の投与（患者が吐き出す可能性がある場合），簡易懸濁法・経管注入時，こぼれ処理時に着用 • 注射薬の局所投与時など飛散のリスクがある場合は，フェイスシールドを選択する
その他	靴カバー	靴への HD の付着防止	• 抗がん薬耐性試験済み，または ASTM 規格に準拠している	• こぼれ処理時に着用
	ヘアキャップ	頭髪への HD の付着防止	• 特になし	• 調製時，ほか必要に応じて着用

使い方（注意点）	患者の排泄物／体液，それらで汚染されたリネン類の取り扱い時
・装着前に，目で見える破損がないことを確認する ・2 枚着用の場合，1 枚はガウンの袖の内側に，1 枚はガウンの袖口を十分覆うように装着する（PPE 除去時，外側の手袋を先に外すことで除去時の曝露予防が可能。業務中万が一外側の手袋が破損した場合も防御可能） ・交換は 30～60 分ごと，または製造業者の情報に基づき行う。外側の手袋に明らかな汚染や破損があった場合は直ちに交換する	・一般的な検査・検診用手袋（ラテックス製，ニトリル製，ポリ塩化ビニル製など）1 枚を着用する
・一度脱いだガウンを吊るして再着用することは，汚染を拡大する危険があるため行ってはならない ・交換は浸透性に関する製造業者情報に基づき，または情報がない場合は2～3 時間ごとに行う	・HD 投与後，最低限 48 時間の患者の排泄物／体液，それらで汚染されたリネンを取り扱う際は，液体の浸透を防げる素材製（撥水または防水タイプ）で長袖のものを着用する
・着用時は毎回フィットチェックを行う ・方法（いずれも N95 の表面を手で覆って行う） ゆっくり息を吐いた際マスクと顔の間から空気が漏れていないか，ゆっくり息を吸った際マスクが顔に向かって引き込まれているかを確認（必要時マスクの位置を修正）	・HD 投与後，最低限 48 時間の患者の排泄物／体液，それらで汚染されたリネンを取り扱う際で吸入のリスクがある場合は，N95 マスクを着用する
・ふだんから眼鏡をかけている場合でも，自分の眼鏡の汚染を防ぐためにゴーグル／フェイスシールドを着用する	・HD 投与後，最低限 48 時間の患者の排泄物／体液，それらで汚染されたリネンを取り扱う際で飛散のリスクがある場合は，フェイスシールドを選択する
・耳，頭髪をすべてキャップ内に入れる	

表 2-9a HD の取り扱い用の PPE：手袋

製造販売元	商品名	仕様					
		厚さ[mm][1]	長さ[mm][2]	引張強度[MPa][3]	最大伸張度[%][4]	ピンホール率[5]	浸透時間>240分を確認できた薬剤の数[6]
製造販売元：日本コヴィディエン(株) 販売代理店：日科ミクロン(株)	ケモプラスグローブ(ラテックス製)	指：0.45	300	データなし	データなし	1.5AQL	7
	ケモプラスニトリルグローブ	指：0.2					
	ケモプラスニトリルグローブ(滅菌)						
サラヤ(株)	サラヤニトリル検査検診用グローブ	掌：0.08±0.02 指：0.10±0.02	240以上	老化前：18以上 老化後：16以上	老化前：500以上 老化後：400以上	1.5AQL	12
	サラヤニトリル検査検診用グローブロング	掌：0.11以上 指：0.15以上	300以上	老化前：20以上 老化後：19以上			16
	サラヤニトリルソフトフィット	掌：0.05−0.08 指：0.06−0.12 首：0.04−0.07	240以上	老化前：16以上 老化後：18以上	老化前：500以上 老化後：400以上	1.0AQL	34
(株)ジェイ・エム・エス	JMSニトリルグローブ	掌：0.06 指：0.08 カフ：0.05	240	老化前：14以上 老化後：14以上	老化前：500以上 老化後：400以上	1.0AQL	13
	アンセルニトリルグローブ		240		老化前：500以上 老化後：500以上	1.5AQL	7
	アンセルニトリルグローブロングカフ	掌：0.12 指：0.10 カフ：0.08	295				
(株)竹虎	タケトラ®ニトリル手袋	掌：0.08±0.02 指：0.10±0.02	240	老化前：14以上 老化後：14以上	老化前：500以上 老化後：400以上	1.5AQL	10
	タケトラ®ニトリル手袋ロング	掌：0.14 指：0.19	295	老化前：14以上 老化後：14以上	老化前：500以上 老化後：400以上		12
	タケトラ®ニトリル手袋フィット	掌：0.05以上 指：0.06以上	240	老化前：14以上 老化後：14以上	老化前：500以上 老化後：400以上	1.5AQL	12

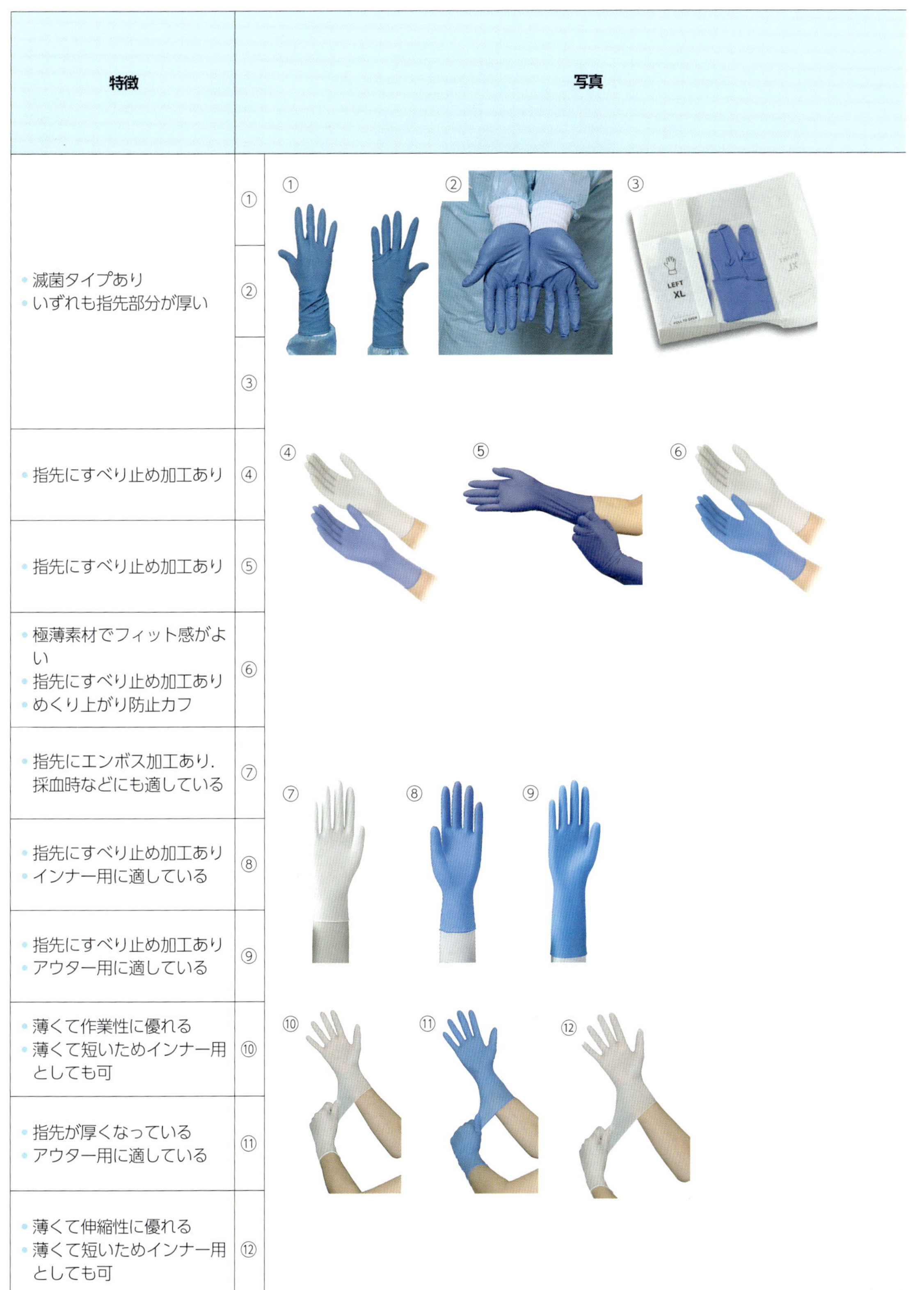

特徴		写真
・滅菌タイプあり ・いずれも指先部分が厚い	①	
	②	
	③	
・指先にすべり止め加工あり	④	
・指先にすべり止め加工あり	⑤	
・極薄素材でフィット感がよい ・指先にすべり止め加工あり ・めくり上がり防止カフ	⑥	
・指先にエンボス加工あり．採血時などにも適している	⑦	
・指先にすべり止め加工あり ・インナー用に適している	⑧	
・指先にすべり止め加工あり ・アウター用に適している	⑨	
・薄くて作業性に優れる ・薄くて短いためインナー用としても可	⑩	
・指先が厚くなっている ・アウター用に適している	⑪	
・薄くて伸縮性に優れる ・薄くて短いためインナー用としても可	⑫	

（続く）

表 2-9a （続き）

製造販売元	商品名	仕様					
		厚さ [mm] 1)	長さ [mm] 2)	引張強度 [MPa] 3)	最大伸張度 [%] 4)	ピンホール率 5)	浸透時間 > 240 分を確認できた薬剤の数 6)
日科ミクロン(株)	シールドスキン	掌：0.14 指：0.17 カフ：0.10	300	データなし	老化前：500 老化後：400	0.65AQL	9
日昭産業(株)	NS クリーンニトリルグローブ	掌：0.06 指：0.08	240	老化前：14 老化後：14	老化前：500 老化後：400	2.5AQL	12
	NS アルファニトリルグローブ		240				
	NS ニトリルグローブセミロング	掌：0.1 以上 指：0.1 以上	300				12
O&M Halyard Japan 合同会社	ピンク アンダーガード ニトリルグローブ	掌：0.09 指：0.12 首：0.07	平均 310	老化前：42 老化後：38	老化前：650 老化後：550	1.0AQL	50
	パープルエクストラ ニトリルグローブ	掌：0.12 中：0.15 首：0.11	平均 310	老化前：21 老化後：21	老化前：550 老化後：500	1.0AQL	50
	スターリング ニトリルグローブ	掌：0.08 中：0.09 首：0.06	平均 240	老化前：42 老化後：38	老化前：650 老化後：550		50
	スターリングエクストラ ニトリルグローブ		平均 310				
メドライン・ジャパン合同会社	バーサシールドエクステンドカフ	掌：0.13 指：0.17 カフ：0.11	305	老化前：22 老化後：29	老化前：602 老化後：523	1.5AQL	47

特に記載がないものは，すべてニトリル製，未滅菌。
1) 指定された圧力を加えて測定した厚み(mm)。掌：掌部，指：指先部，首：手首部，中：中指部。
2) 指先から袖口までの長さ(mm)。
3) 手袋を引っ張り，破断時の強度を評価(MPa)。
4) 手袋を引っ張り，裂けるまでの最大の伸び(%)。
5) 手袋に水を入れて漏れがないかを評価．AQL：acceptable quality level。
6) ASTM D6978-05 の基準で耐浸透試験実施時，240 分まで浸透しないことが確認できた抗がん薬の数。

特徴		写真
• 2層構造により手袋の破損が発生した際のリスクを低減	⑬	
• 指先にすべり止め加工あり	⑭	
• 指先にすべり止め加工あり	⑮	
• 指先にすべり止め加工あり	⑯	
• 二重手袋の着用をよりスムーズにするインナー専用 • 必ずアウターと一緒に着用する	⑰	
• アウター用に適している	⑱	
• インナー用に適している	⑲	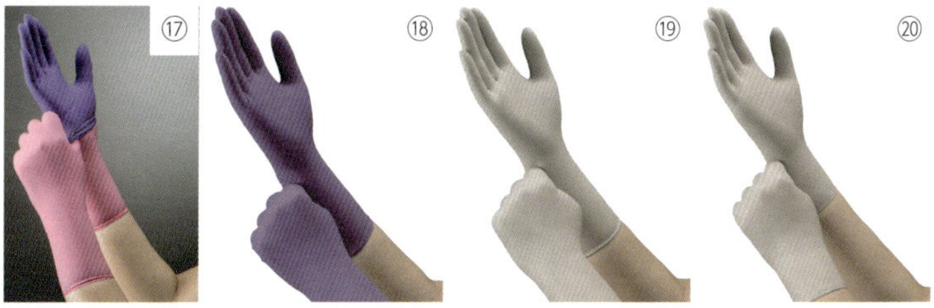
	⑳	
• アウター用に適している • 指先に滑り止め加工あり	㉑	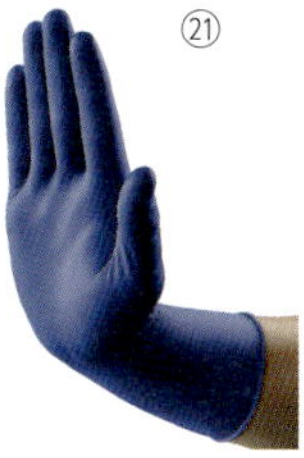

〔写真は各社提供による〕

表 2-9b HD の取り扱い用の PPE：ガウン

製造販売元	商品名	仕　様	特徴	写真
製造販売元：日本コヴィディエン（株） 販売代理店：日科ミクロン（株）	ケモプラス™ PP ガウン	• ASTM D6978-05 試験済み • ポリプロピレン製ガウンをポリエチレンでコーティング（防水加工） • 約 5 cm のメリヤス袖口で手首が締まる構造 • 背開き • 糸くずが出ない		
	ケモブロック™ PP ガウン		• 背中部分が開いているため通気性に優れる	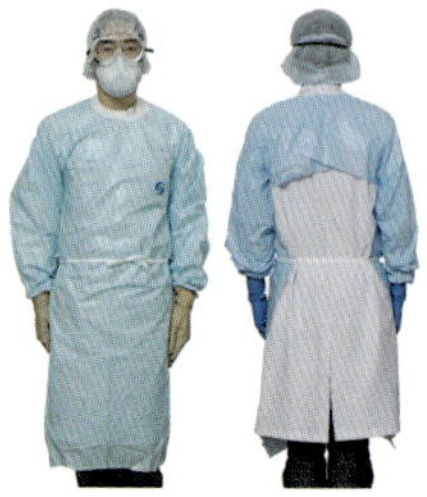
日科ミクロン（株）	ケモライトガウン	• ASTM D6978-05 試験済み • ポリプロピレン製ガウンをポリエチレンでコーティング（防水加工） • 約 4.5 cm のメリヤス袖口で手首が締まる構造 • 背開き・糸くずが出ない	• 軽量で通気性が保たれる	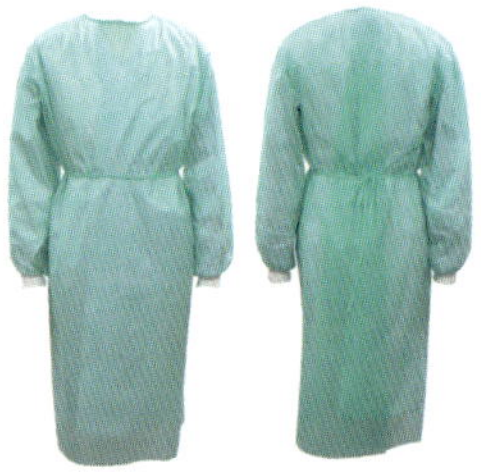
（株）竹虎	フェルラック® No.75	• ASTM D6978-05 試験済み • ポリプロピレン不織布ガウンをポリエチレンでラミネート • 約 6 cm のメリヤス袖口で手首が締まる構造 • 背開き・糸くずが出ない	• 通気性を重視し，背中部分を開放 • 色は，患者へ抵抗感を与えにくいホワイト	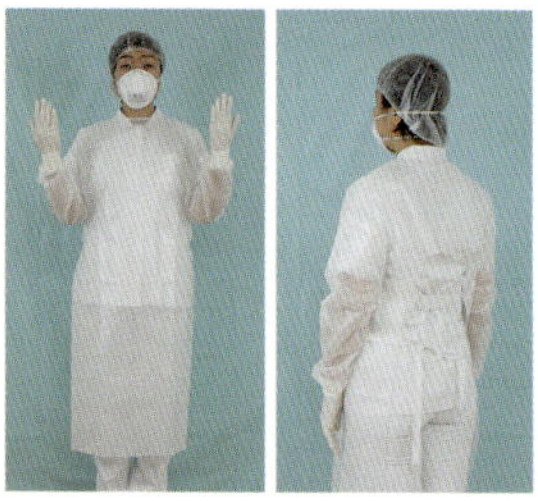
	フェルラック® No.100		• 首元の保護を目的としたマスク付（マスクがガウンと一体化）	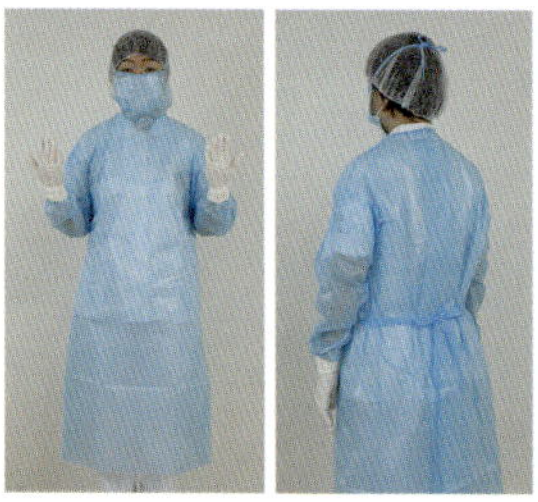

表 2-9b (続き)

製造販売元	商品名	仕様	特徴	写真
(株) 竹虎	フェルラック®No. 85	• ASTM D6978-05 試験済み (3 薬剤) • ポリプロピレン不織布ガウンをポリエチレンフィルム加工 • ほか，No.75 と No.100 に同様	• 素材特性により薬剤耐性と透湿性の両方の性能をもつ • ゴワつき・カサつきのない柔らかい素材	
総輸入販売元：旭・デュポンフラッシュスパン プロダクツ (株)	デュポン ™ タイベック®ケモセラピーガウン	• ASTM D6978-05 試験済み • 高密度ポリエチレン不織布 (デュポン ™ タイベック®) 製 • 約 8 cm のメリヤス袖口で手首が締まっている • 首元のバリア性を高めるための襟 (カラー) 付き • 二重巻可能 (ニーズに合わせて結ぶ位置を変更可能) な腰ひも • 膝部への曝露対策のために通常のガウンより長めの丈 • 背開き • 糸くずが出ない	• 素材の特性 (表面コーティングではなく高密度によるバリア) により軽量で通気性が保たれる • バリア性 (優れた防護性能) • 耐久性 (強靭な素材) • 快適性 (軽い着心地)	
O&M Halyard Japan 合同会社	ケモガウン360	• ASTM F739-12 試験済み：50 種類以上の薬剤耐性試験済 • ポリプロピレン製ガウンの外側表面を防水性フィルム (ポリエチレン) コーティング • 内側はソフトタッチ加工 • ニットカフ	• 後開き，背面も全面カバー • 襟元テープ固定タイプ • サイズは 2 種類 (着丈 110 cm のフリーサイズと着丈 130cm の XXL サイズ)	
	コンフォート防水ガウンカフ付き		• オーバー・ザ・ヘッド着用タイプ • 背面が大きく開き，蒸れを軽減 • フリーサイズ 1 種類	

〔写真提供：ケモプラス ™ PP ガウン・ケモブロック ™ PP ガウン (日本コヴィディエン株式会社)，ケモライトガウン (日科ミクロン株式会社)，フェルラック® No. 85 (株式会社竹虎)，デュポン ™ タイベック® ケモセラピーガウン (杏林製薬株式会社)，ケモガウン360・コンフォート防水ガウンカフ付き (O&M Halyard Japan 合同会社)〕

表 2-9c HD の取り扱い用の PPE：その他の PPE

製造販売元	商品名	仕様	写真
(株) 竹虎	サージアームカバーNo. 100	• ASTM D6978-05 試験済み • ポリプロピレン不織布をポリエチレンでラミネート • 約 6 cm のメリヤス袖口で手首が締まっている • 糸くずが出ない • 取りはずし用ループ付き (外側汚染面への接触防止)	
	サージシューカバーNo.100	• ASTM D6978-05 試験済み • 床接触面には滑り止め加工 • 内側全面ラミネート加工 (防水 100%)	
総輸入販売元：旭・デュポンフラッシュスパンプロダクツ (株)	タイベック® アイソクリーン® IC458CS (ブーツカバー)	• ASTM D6978-05 試験済み • 高密度ポリエチレン不織布 (デュポン ™ タイベック®) 製 • カバーの底は PVC 製の滑り止め付き • 防御範囲が広い	

〔写真提供：株式会社竹虎，旭・デュポンフラッシュスパン　プロダクツ株式会社〕

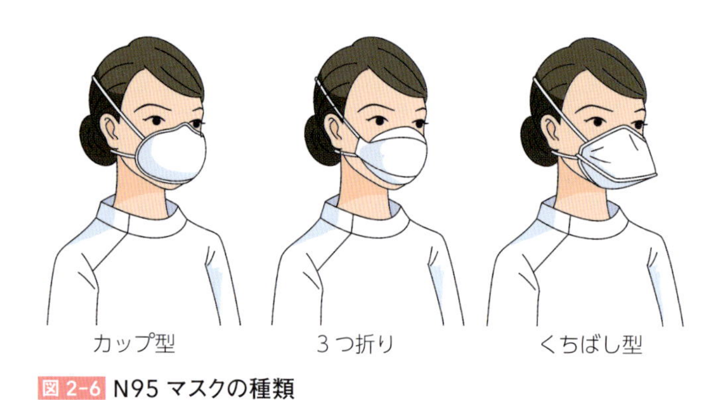

図 2-6 N95 マスクの種類

表 2-10 眼・顔面防護具の種類と特徴（サージカルマスクを除く）

種類	防護能力	利点	欠点
フィルム交換保護メガネ	下方・側面からの汚染を受けやすい	• 軽量，通気性がよい • 安価，汚染時に交換しやすい	• 固定が弱く着用中の行動が制限される
フェイスシールド付サージカルマスク	顔全体を覆うため，フィルム交換メガネより防護能力は高い	• 着脱が簡便	• シールドが曇りやすい • 重量がありずれやすい
フェイスシールドタイプ	下方からの汚染を受けやすい	• 通気性がよい • メガネをつけていても使いやすい	• 歯科診療以外は，より安価でマスクもついているフェイスシールド付サージカルマスクで代用
メガネタイプ	下方，側面からの汚染に弱い	• 装着感に優れている • 通気性がよく曇りにくい	• フェイスシールドタイプより固定が弱い
ゴーグルタイプ	粘膜全体を完全に密閉できる	• 固定が強固	• 曇りやすい • 視野が狭くなる • 重く装着感に劣る

〔職業感染制御研究会：個人用防護具の手引きとカタログ集．p.28，職業感染制御研究会，2011．より一部改変 https://www.safety.jrgoicp.org/img/download/ppe_catalog_2011.pdf（2020 年 1 月 27 日アクセス）〕

2 適切な PPE の着脱と廃棄の方法

PPE を着用するときとはずすときでは手順が異なる。着用するときは部分的な露出がないように，はずすときは PPE の表面は汚染しているという前提で表面に触れて汚染することがないように注意する。

適切な PPE の着用の仕方とはずし方を次に示す。

1 ›› 適切な PPE の着用の仕方 MOVIE 1

■手袋を 2 枚着用する場合（1 枚着用の場合は，②③④⑤の順）

手順

① 手洗い後，1 枚目の手袋を着用する。

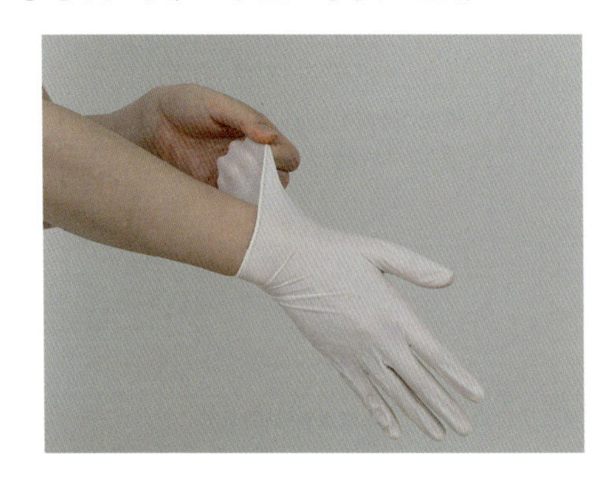

② ガウンを着用する。

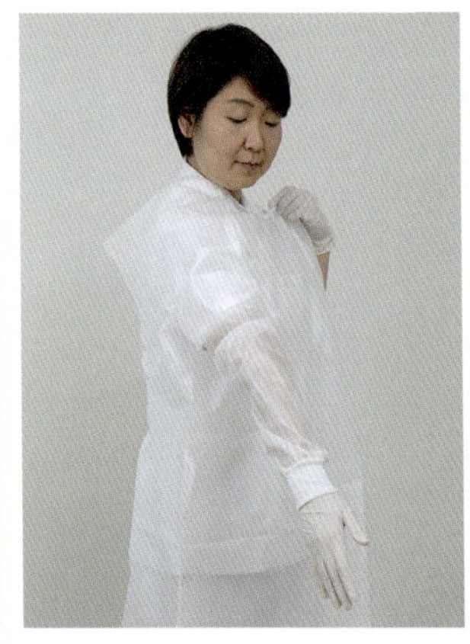

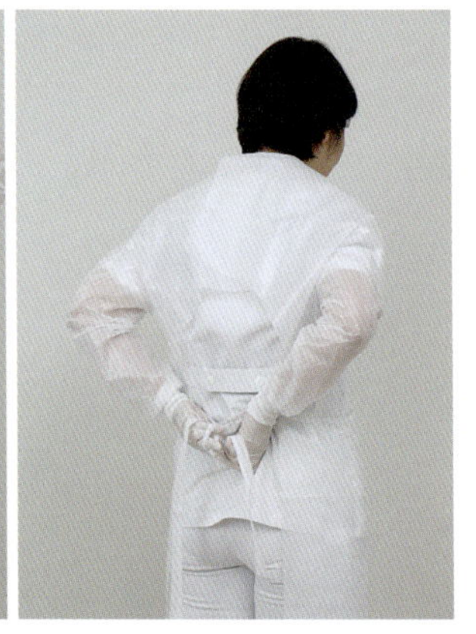

＊首から膝，腕から手首，背部までしっかり覆い，首と腰のひもを結ぶ。

③ マスクを着用する。

【N95 の場合】

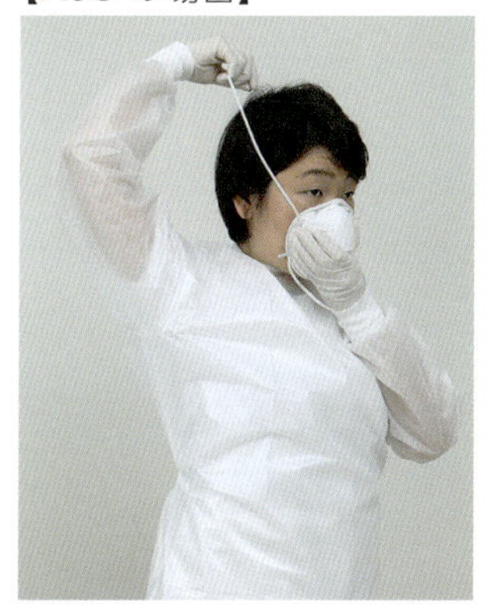

＊鼻と顎を覆い，ゴムバンドで頭頂部と後頸部を固定する。

＊フィットチェックを行う（表 2-8 参照）。

【サージカルマスクの場合】

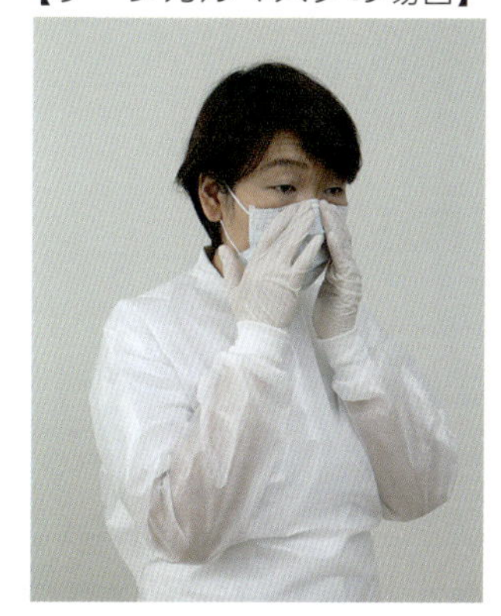

＊鼻あて部を小鼻にフィットさせ，口と鼻をしっかり覆う。

④ 保護メガネを着用する

【ゴーグル・メガネ型の場合】

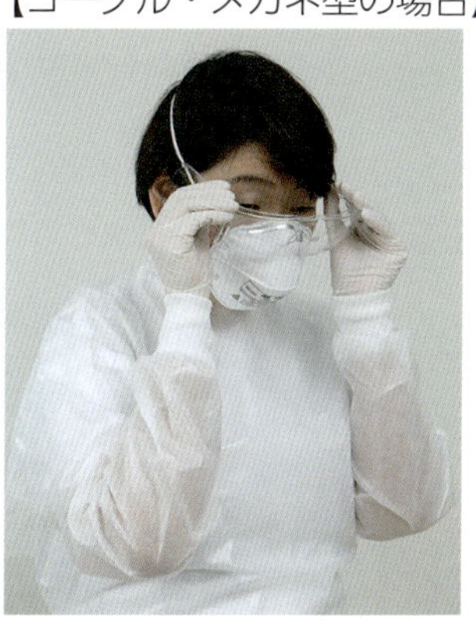

＊眼や自分の眼鏡をしっかり覆う。

【フェイスシールドの場合】

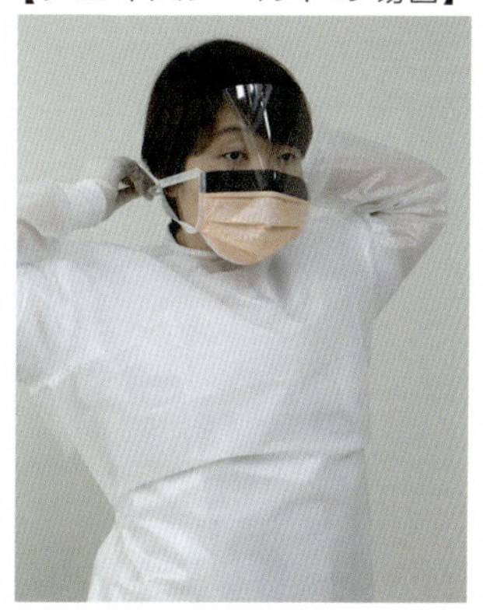

＊顔面をしっかり覆う。

⑤ 2 枚目の手袋を着用する

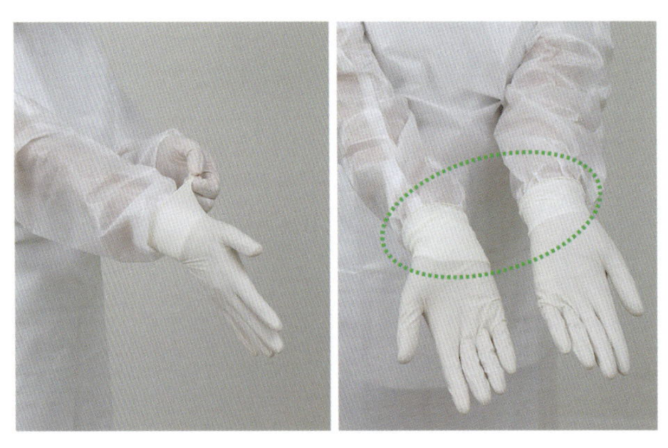

＊手首が露出しないようにガウンの袖口まで覆う。

2 ›› 適切な PPE のはずし方 MOVIE 2

■手袋を 2 枚着用している場合（1 枚着用の場合は，①②③④⑥⑦の順）

手順

① 外側の手袋

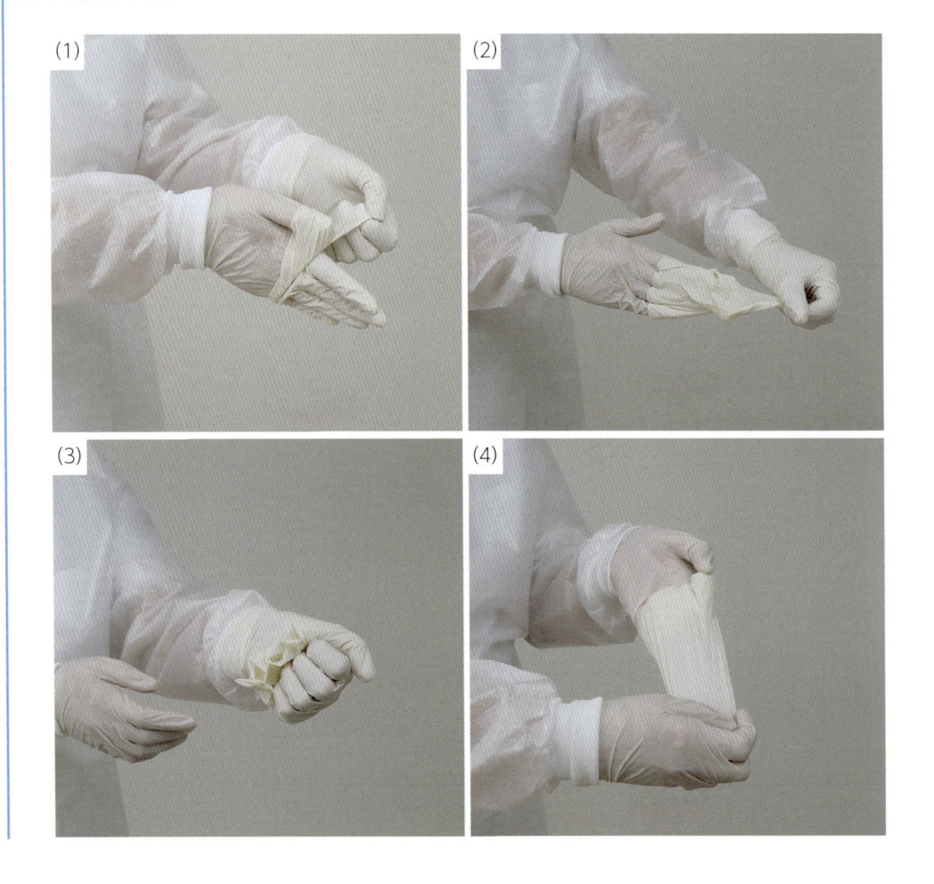

＊手袋の外側をつまんで中表にしてはずし，まだ手袋を着用している手ではずした手袋を持っておく。
＊手袋を脱いだ手の指先をもう一方の手首と手袋の間にすべりこませ，そのまま引き上げるようにして脱ぐ。
＊２枚の手袋をひとかたまりにして，プラスチックバッグに廃棄する。

② 保護メガネ（ゴーグル / フェイスシールド）

【ゴーグル・メガネ型の場合】

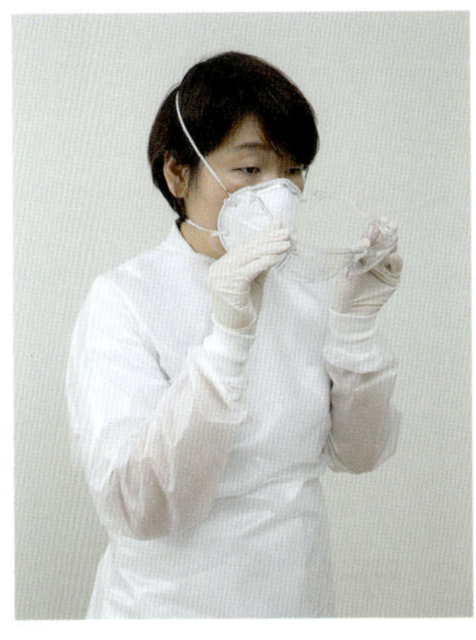

【フェイスシールドの場合】

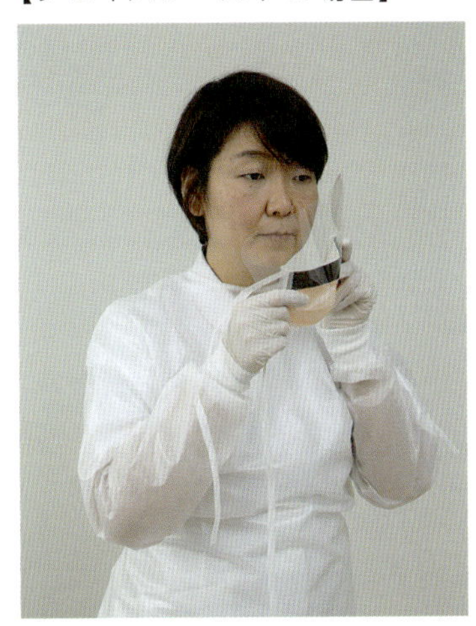

＊表面は汚染しているものとし，ゴムひもやフレーム部分をつまんではずす。（以後，はずしたPPEはすべて，そのつどプラスチックバッグに廃棄する）

③ ガウン

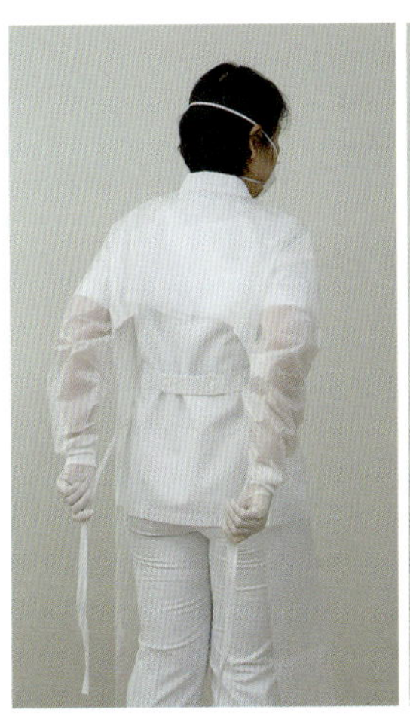

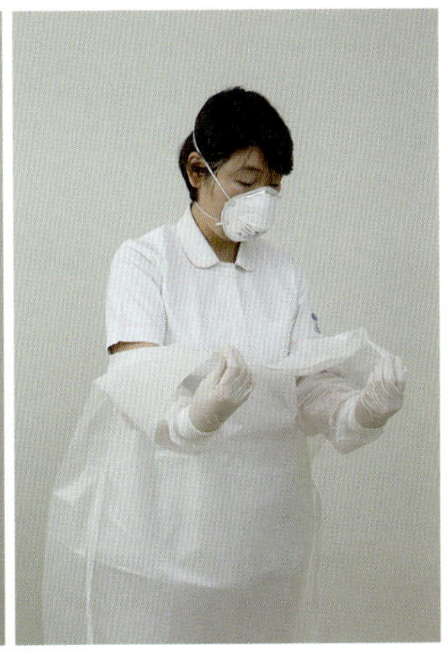

＊ひもをはずし，ガウンの表面には触れないようにして中表にして脱ぎ，小さくまとめる。

④ マスク

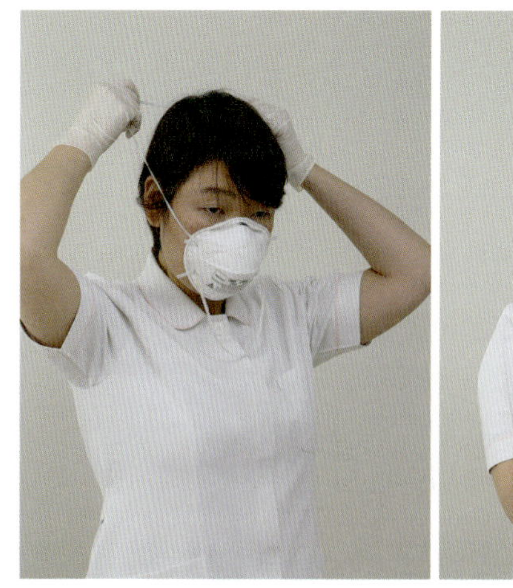

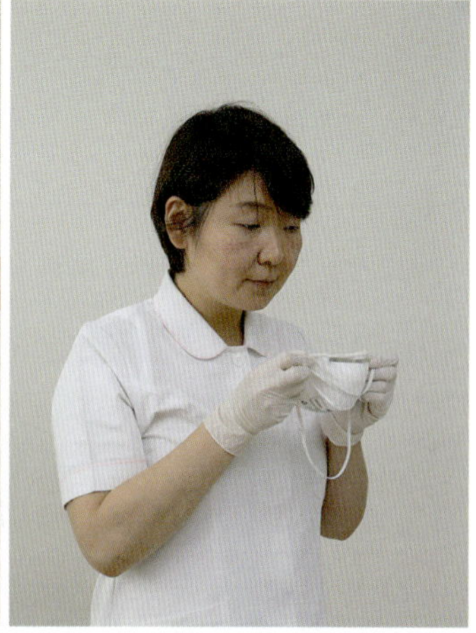

＊マスクの表面に触れないように，ゴムひもをつまんではずす。

⑤ 内側の手袋

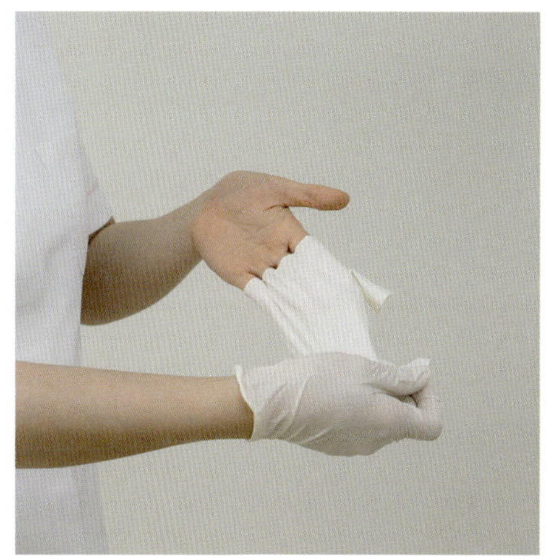

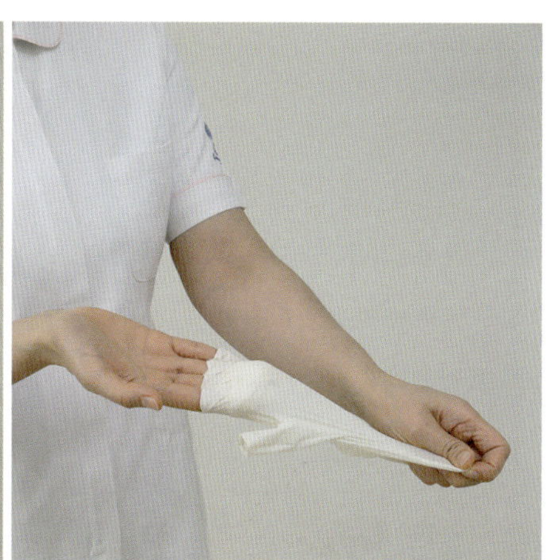

＊内側の手袋をはずす（①と同様）。

⑥ 廃棄

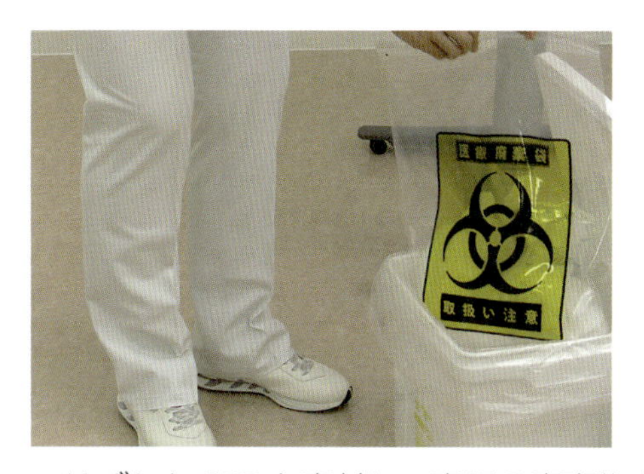

＊はずした PPE を密封し，専用の廃棄物容器に廃棄する。

⑦ 手洗い

＊流水と石けんで手洗いをする。

＊万一，HD が手に付着していた場合を考慮し，流水で洗浄することが大切。アルコールの速乾性手指消毒剤は流水手洗い後に使用する。

経験談紹介

投与時の長袖ガウン導入後のプロセス

それまでエプロン着用だった化学療法室の看護師が長袖ガウンを着用することになると，患者が不安がるのではないかということが一番心配でしたが，看護師の安全を考慮し導入しました。

導入当初は，長く治療に通っている患者の一部からは「どうしたの？」と聞かれましたが，「1 日中，薬を取り扱う職員はガウンを着るよう病院で決まったのです」という説明で納得され，予想していたようなネガティブな反応はありませんでした。新たに通院を始めた患者にはあらかじめ説明をしており，自然に受け入れられているように思います。

看護師側も導入当初は「暑い」「わずらわしい」などガウン着用に躊躇していましたが，今は自分の身を守るために必要なものと理解され，必ず着用することができています。

新しいことを始めるときは，一時的に反響がある可能性は避けられませんが，必ず一段落します。まずは看護師が必要性を理解し，チームで一貫した説明や実施が行えれば，患者の反応を過剰に心配する必要はないと感じました。

参考文献

1）一般社団法人日本がん看護学会，公益社団法人日本臨床腫瘍学会，一般社団法人日本臨床腫瘍薬学会（編）：がん薬物療法における職業性曝露対策ガイドライン 2019 年版．pp.38-43，金原出版，2019.

2）職業感染制御研究会：個人用防護具の手引きとカタログ集．pp.19-41，職業感染制御研究会，2011. https://www.safety.jrgoicp.org/img/download/ppe_catalog_2011.pdf（2020 年 1 月 27 日アクセス）

（平井 和恵）

E 看護師側と患者側の準備状況

効果的な曝露対策は，組織としての指針や手順等が整備され，これに基づき継続的に実践されることが重要である（第2章A「ヒエラルキーコントロールの考え方」➡ p.48）。この実践には患者側が抗がん薬投与中～投与後の生活上の注意点を正しく理解し守ることも含まれ，常に患者が入れ替わる臨床現場でこれを実現するためには看護師が果たす役割は大きい。

1 ›› 看護師側の準備

前提として，曝露対策に関する組織の指針や手順が明文化されていることが必要である。それに基づき，入職時および定期的に教育プログラムを受ける。

教育プログラムには，基本的な知識や曝露リスクを最小限とする手技等の教育だけでなく，日常的に適切な実践が行えているか，実践場面での評価を受けることも含む。また，曝露リスクのある場面を設定したシミュレーション演習なども行うと，より日常業務を振り返り考える機会となり効果的である（例：PPEを装着していない状態で抗がん薬投与中の患者の輸液セットの接続の緩みから漏れている場面に遭遇した，PPEを装着して抗がん薬の投与管理を行っている際にPHSが鳴った，など）。さらに，外来化学療法室など，院内でも曝露対策の浸透した部署に病棟看護師が1～数日間院内留学をして，日頃の実践を振り返る，院内で曝露対策推進チームを構成し，定期的に抗がん薬を取り扱う部署をラウンドして対策の定着を確認する等も効果的である。

このほか，指針や手順，スピルキットなどの設置場所を把握しておくことも重要である。

2 ›› 患者側の準備

薬物療法のオリエンテーション時，患者は自分が投与を受ける抗がん薬の副作用に関連した生活上の注意について説明を受ける。その際，抗がん薬はがん細胞だけではなく，正常な細胞にも影響を及ぼす強い薬であることと関連付け，毎日複数の抗がん薬を取り扱う看護師がPPEを装着しているのはそのためであること，患者自身でも投与経路以外への付着や吸入を避ける必要があること，薬の取り扱いや排泄物などへの接触時もリスクとなるので，できるだけ患者自身で薬の取り扱いやトイレや衣類を汚した場合の処理を行うことなどを伝える（図 2-7，図 2-8）。特に乳幼児やペットなどがいる家庭では，抗がん薬や抗がん薬で汚染された物が誤って口に入らないような管理や，家庭内での協力体制などについても確認する（投与経路別の詳しい注意点については第2章H「病院／クリニックにおける曝露対策 ③投与管理」➡ p.127，第2章M「在宅における曝露対策」➡ p.155）。

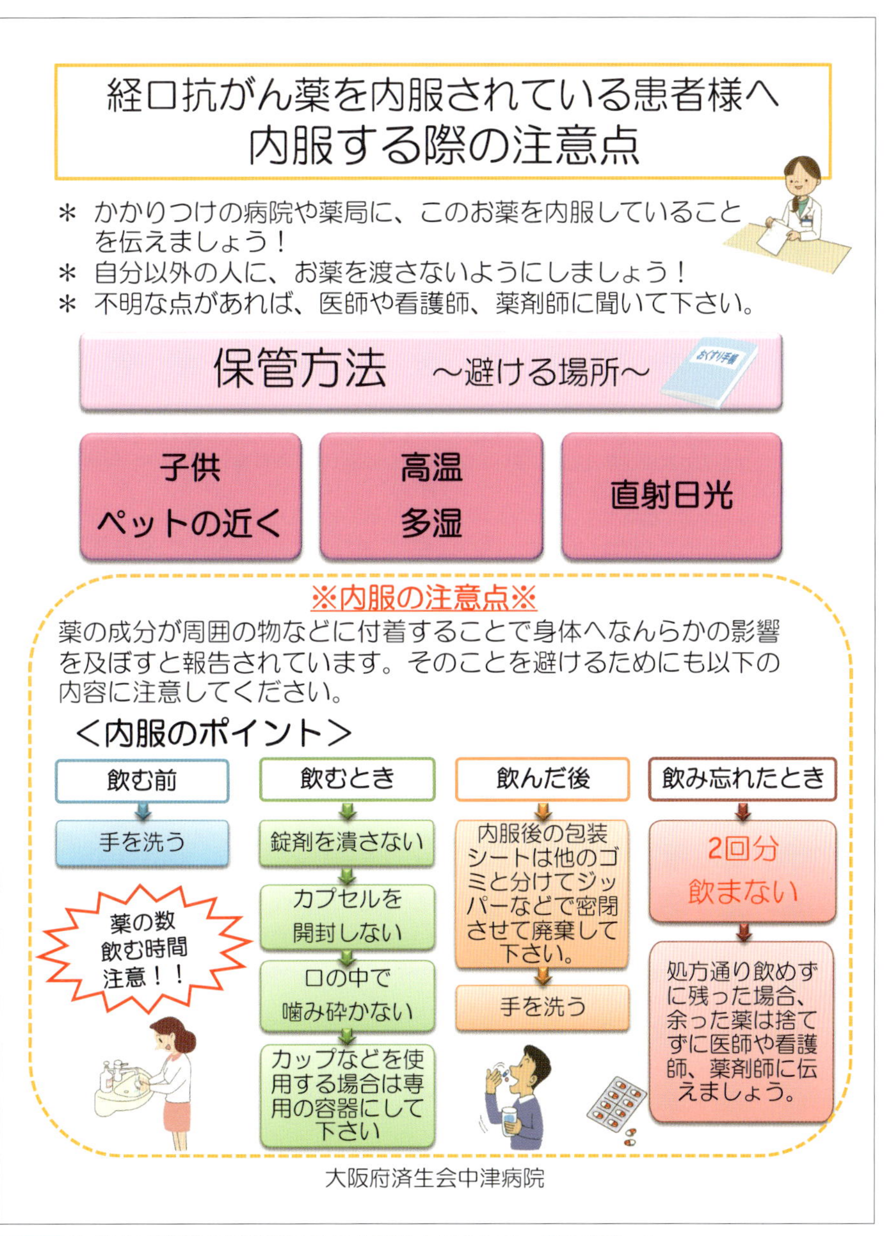

図 2-7 患者向け資料の例〔経口抗がん薬を内服されている患者様へ〕
〔資料提供：大阪府済生会中津病院〕

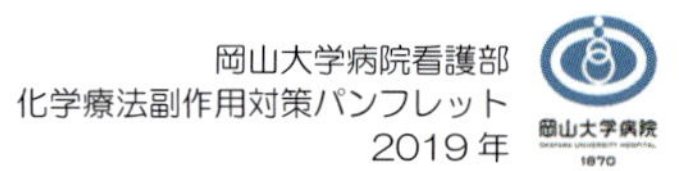

抗がん薬の取り扱いについて

抗がん薬は、がんに対する効果がある半面、正常な細胞に対する毒性があるため、副作用が起こってきます。そのため、職業的に抗がん薬を取り扱う医療スタッフや、治療を受ける患者さまとそのご家族にも身体に影響を及ぼすことが懸念されています。抗がん薬の大半は体の外に排泄されるまで平均48時間かかると言われています。そこで、治療中および終了後48時間は、尿や便の取り扱いに注意をする必要があります。

私たち医療スタッフは、抗がん薬を取り扱う際は、

手袋やエプロン、マスク、アイガードを着用します。

【対策を取る期間】
抗がん薬投与中〜終了後2日間 （抗がん薬は体の外に排出されるまで平均48時間かかります）

【排泄時の注意点】
✧ トイレは、尿が飛び散らないよう、男性のかたも座ってするようにしましょう。
✧ 使用後は、ふたを閉めて、2回流しましょう。
✧ 尿がこぼれたり飛び散った場合は、トイレットペーパーできれいにふきとってトイレに流しましょう。
✧ トイレ後は、流水と石鹸でしっかり手洗いをしましょう。

【ご家族が排泄物（尿・便）、嘔吐物を扱う際の注意点】
✧ ご家族が排泄物（尿・便）や嘔吐物、リネン類、抗がん薬の内服薬や点滴を扱う場合は、曝露の危険性があるため、取り扱いに注意が必要です。取り扱う場合は下記物品を準備しておくと良いでしょう。
　・使い捨てのマスク
　・使い捨てのビニール手袋
　・使い捨てのペーパータオル（アルコールを含まないもの）
　・ビニール袋
　・準備が可能であれば使い捨てのビニールエプロン
✧ ご家族が尿や便、嘔吐物を取り扱う際や、ストーマ用品の処理をするときには、手袋やマスク、ビニールエプロンを着用して直接排泄物を手に触れることがないようにしましょう。またオムツは濡れた場合早めにとりかえるようにしましょう。
✧ 使用済みのストーマ用品やオムツなどは、ビニール袋に入れ、密閉して廃棄して下さい。その後、石鹸と流水で十分手を洗いましょう。
✧ 患者さまの洗濯物で、尿や便・吐物で汚染されたものは、ご家族のものとは別にして2度洗いしましょう。2回目はご家族のものと一緒に洗濯してかまいません。
✧ 排泄物、嘔吐物が皮膚についたら、直ちに水道水で十分洗い流し、石鹸で洗いましょう。付着した皮膚に異常が現れたら、すぐに医師または看護師に相談して下さい。

図2-8 患者向け資料の例〔抗がん剤の取り扱いについて（一部抜粋）〕
〔資料提供：岡山大学病院看護部〕

（平井 和恵）

F 病院／クリニックにおける曝露対策 ① 調製／調剤

1 注射薬

1 ›› 環境の整備・物品

調製時はHDによる曝露の危険性が高く，職業性曝露防止には適切な調製環境や物品を整えることが必要である。具体的には，薬剤部門の一定の場所で安全キャビネット（第2章B「安全のための環境整備・物品 ①生物学的安全キャビネット」➡p.52）を用いて調製を行うこと，調製時の漏れが生じないように閉鎖式薬物移送システム（CSTD）（第2章C「安全のための環境整備・物品 ②閉鎖式薬物移送システム（CSTD）」➡p.57）を用いることである。

調製時には，汚染を最小限にするために必要物品，ディスポーザブルの作業用シートを事前に準備する。

2 ›› 個人防護具（PPE）の装着

薬の準備には，梱包から薬を取り出して，調製を行い，病棟まで搬送することが含まれる。曝露の機会は調製時のみではなく，準備のすべてのプロセスにあるので，梱包から薬を取り出す前からPPEの装着が必要である（図2-9）。PPEの種類や着脱の

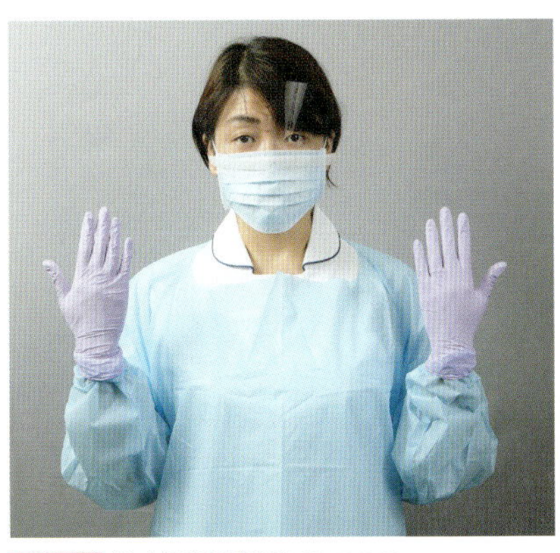

①二重手袋
②ガウン
③眼・顔面防護具（フェイスシールド／ゴーグル／サージカルマスク）
＊呼吸器防護具（N95マスク）は通常は不要。ただし，適切な調製手技，BSCやアイソレータ，CSTDの使用を前提とする。

図2-9 注射薬調製時のPPE

手技については第2章D「安全のための環境整備・物品 ③個人用防護具(PPE)」(➡p.96)参照。

3 ›› 手技

■バイアルの調製

調製中は，薬液および薬液が入っているバイアル，輸液バッグ内の空気も曝露のリスクがあるという前提で操作する。

1 バイアル内圧に注意

バイアルに入っているHD製剤の調製時には，製剤の溶解時にバイアル内に溶解液を入れることで内圧が高まる。このことによって，エアロゾルや漏れが生じやすくなるため(COLUMN「調製に伴うエアロゾルとは」➡p.23)，バイアルの内圧を高めない操作が重要である(図2-10)。

□溶解には適切な大きさのシリンジを用いる

⇨空気が溶解操作で入る前提で十分な大きさのシリンジ。

□バイアル内へ空気や薬液を押し込まない

⇨バイアルにシリンジの針を刺している間は，プランジャー(押し子)を押さない。

自然に陰圧が生じ，液体がバイアルに流れ込んでくる。

□バイアルから針を抜くときは，調製者側に飛散しないように，バイアルを天井にまっすぐ向けて操作する

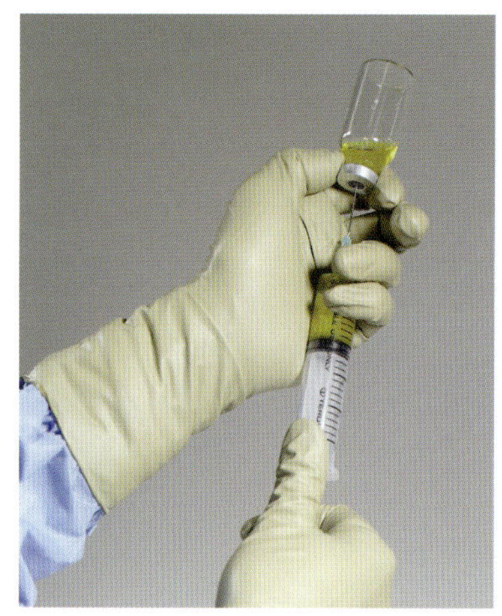

バイアルにシリンジの針を刺している間は，プランジャー(押し子)を押さない。自然に陰圧が生じ，液体がバイアルに流れ込んでくる。

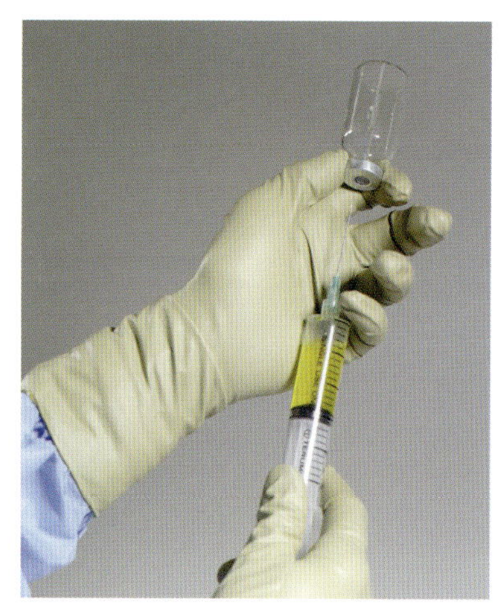

バイアルから針を抜くときは，調製者側に飛散しないように，バイアルを天井にまっすぐ向けて操作する。

図2-10 内圧を高めない工夫
〔撮影協力(手技)：前 国立がん研究センター東病院薬剤部　野村久祥先生〕

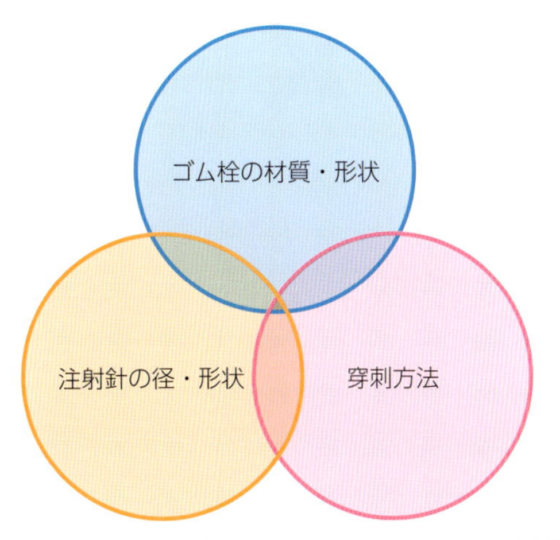

これらの要因が互いに関与することにより，コアリングが発生。

図 2-11 コアリング発生の要因
〔輸液製剤協議会：医療過誤防止に向けての取り組み　コアリング防止対策について. https://www.yueki.com/measure1/index.html（2020 年 1 月 27 日アクセス）〕

2 バイアルのゴム栓にコアリングを生じさせない

コアリングとは，注射針のあご部によりバイアルのゴム栓が削り取られることである。コアリングは，ゴム栓の材質・形状とともに，穿刺方法，注射針の径・形状により発生する（図 2-11，COLUMN「コアリング発生の要因」）。

バイアルを用いた調製時は，液が漏れて曝露の危険性が生じるため，コアリングを生じさせない手技が重要である。

COLUMN

コアリング発生の要因

輸液製剤は無菌性を保つために密封容器または気密容器に入っている。ゴム栓は，密封性を高めるために容器口部周縁部から圧縮される力を受けるように設計されており，そのため，注射針をゴム栓に穿刺するとき，注射針のあご部によりゴム栓が削り取られることがある。このゴム片を「コア」といい，この事象を「コアリング」という。

ゴム栓の材質や形状はさまざまであり，また，使用する注射針の径や形状もさまざまで，穿刺方法も調製者によって異なる。これらの要因が互いに関与することによって，コアリングが発生することがある。コアリングを避けるにはゴム栓面に対し真っ直ぐに穿刺することを心がける必要がある。

〔輸液製剤協議会：医療過誤防止に向けての取り組み　コアリング防止対策について https://www.yueki.com/measure1/index.html（2020 年 1 月 27 日アクセス）〕

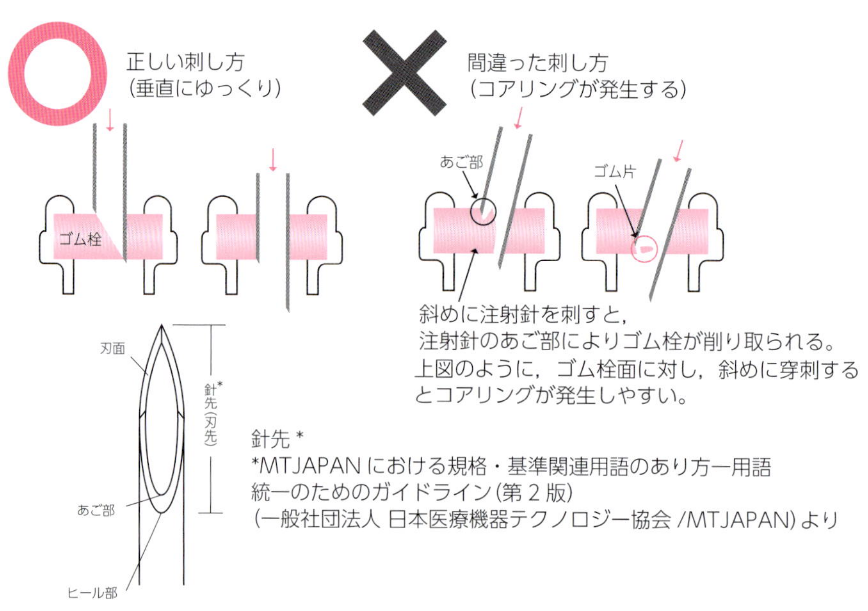

〔輸液製剤協議会：医療過誤防止に向けての取り組み　コアリング防止対策について.
https://www.yueki.com/measure1/index.html (2020年1月27日アクセス) より作成.〕

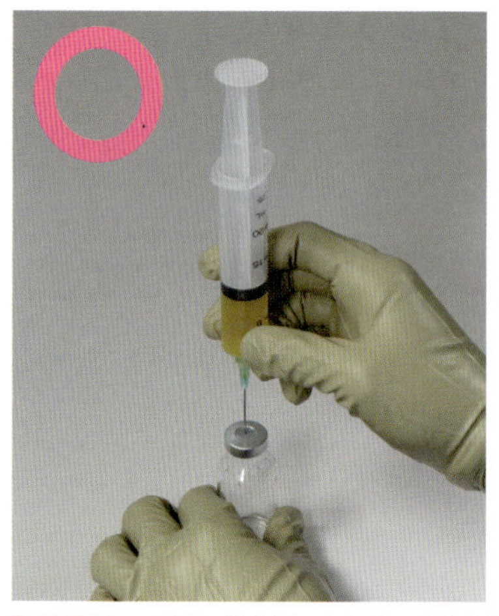

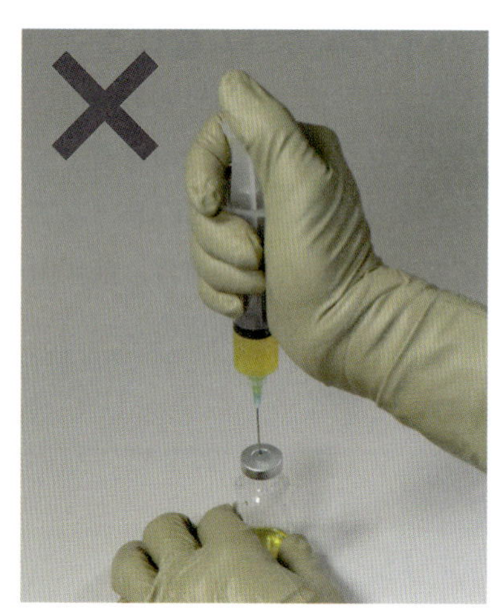

図 2-12 コアリングを起こしにくい穿刺方法
〔撮影協力(手技)：前 国立がん研究センター東病院薬剤部　野村久祥先生〕

穿刺方法

□ 注射針はゴム栓の中央付近または指定位置に垂直にゆっくりと刺す(図 2-12)。

□ 注射針を途中で回転させない。

□ 2回目以降の針刺しは，同一か所を避けて穿刺する。

□ 以下の手技で穿刺回数を減らす。

- 針を外さずにバイアル内の薬液をすべてシリンジに吸引する。
- 針を外さずに薬を攪拌する。

注射針の径

□ 注射針は，薬の特徴をふまえて選択する。

■ **アンプルの調製**

アンプル製剤には液体の薬液が入っているため，開封時の薬液の飛び散り，薬液漏れに注意する。手を切ったり，曝露を防ぐために滅菌ガーゼでアンプルの頸部を包む。

2 経口薬

1 ›› 環境の整備

内服薬については，錠剤の粉砕で空気中に飛散したことが報告されているため，原則，粉砕および脱カプセル禁止である。やむを得ず行う場合は，安全キャビネット内で実施することが必要である。また，散剤の取り扱い時は飛散が想定されるため，安全キャビネットを使用することが必要である。

2 ›› PPE の装着

散剤の調剤時は，梱包から取り出す前から，PPE の着用が必要である。PPE の種類は，二重手袋，ガウン，眼・顔面防護具，呼吸器防護具の着用が必要である（図 2-13）

3 ›› 簡易懸濁法

HD の経口投与が難しい場合，経管にて投与を行う場合がある。そのときに用いるのが，簡易懸濁法である。この場合は，薬に触れないように操作することが重要であ

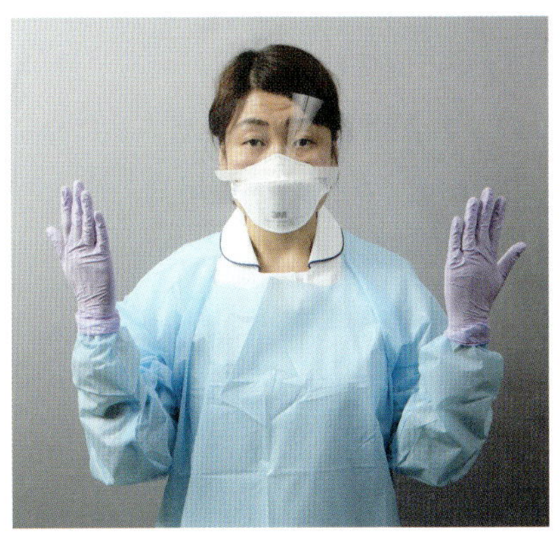

①二重手袋
②ガウン
③眼・顔面防護具（フェイスシールド / ゴーグル）
④呼吸器防護具（N95 マスク）

図 2-13 散剤調製時の PPE

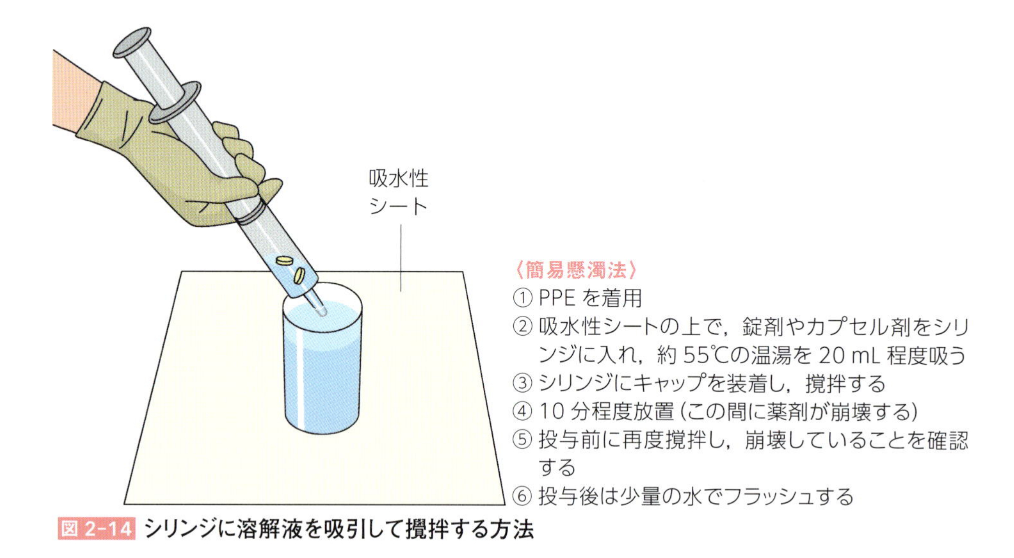

図 2-14 シリンジに溶解液を吸引して撹拌する方法

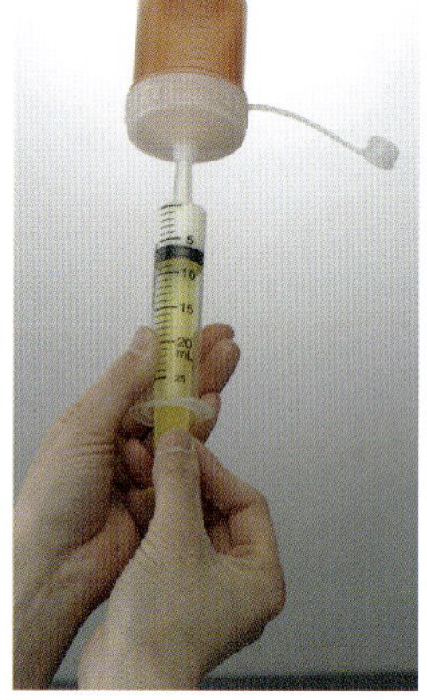

〈けんだくん用法〉
①蓋を外して，1 回に服用する薬剤を入れる
②約 55℃の温湯を 20 mL 程度いれて蓋をする
③そのまま 5～10 分，置いておく
④小さいほうの蓋を押さえて，やさしく転倒し混和する
⑤小さいほうの蓋を取って，シリンジを取り付ける
⑥写真のように懸濁液をシリンジに吸い取る

＊ HD 調製時は手袋を着用する

図 2-15 内服簡易懸濁容器（けんだくん）
〔写真提供：エムアイケミカル株式会社〕

る。具体的には，シリンジ側に錠剤を入れた後，シリンジに溶解液を吸引して撹拌する方法（図 2-14）や，内服簡易懸濁容器（図 2-15）が市販されている。

簡易懸濁時では，準備・懸濁のあと，通常は引き続き経管注入を実施するために，簡易懸濁の前に経管注入時の PPE として，二重手袋，ガウンを着用し，注入時に眼・顔面防護具，呼吸器防護具の装着が推奨される（図 2-25 ➡ p.134）。

なお，注射薬の調製時ならびに内服薬の調剤時の曝露対策については，付録も参照（「がん薬物療法の調製時および投与管理時の曝露対策一覧」➡ p.162）。

文献

引用文献

1）桜田宏明，森田和彦，青山佳晃：抗がん剤注射液（液体バイアル製品）調製時における注射針の違いによる液漏れの検討．日本病院薬剤師会雑誌 41（9）：1157–1160,2005.

参考文献

1）一般社団法人日本がん看護学会，公益社団法人日本臨床腫瘍学会，一般社団法人日本臨床腫瘍薬学会（編）：1）調製時（注射・内服）の曝露対策．がん薬物療法における職業性曝露対策ガイドライン 2019 年版．pp.40–45，金原出版，2019.

（飯野 京子，市川 智里）

G

病院／クリニックにおける曝露対策

② 運搬・保管

1 運搬

抗がん薬をはじめとするHDの運搬は，調製や投与管理などと同じように，抗がん薬の危険性を十分認識し，適切な取り扱い方法を習得している者が行う。看護師だけでなく運搬担当者や看護補助者が行うことがあるが，その際にも教育を行う。しかし，前提として，運搬時に漏れても運搬者が曝露を起こさないような手順や管理が不可欠である。

1 ›› 組織としての運搬に関する管理

- 運搬に関する組織としての手順書を作成する。
- 1mの高さから落としても内容物が壊れないように，発泡スチロール製剤などの適切な容器（図2-16）を用いて運搬する。濡れた場合に備えて運搬容器の内側は吸収性素材を用いる。
- 調製済みのHDはほかの薬剤との識別のためにラベルをつけておく。HDを入れた

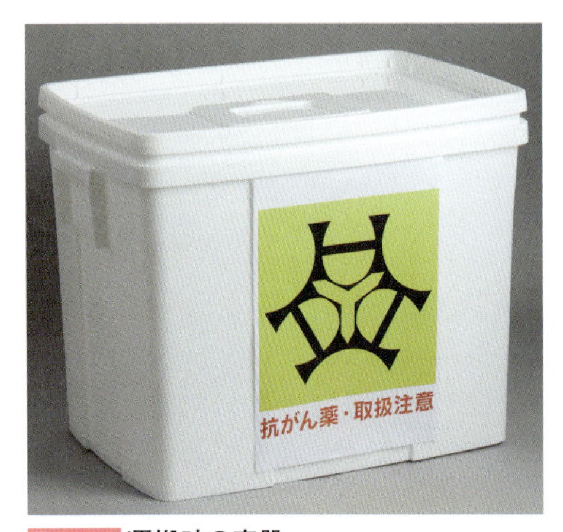

図2-16 運搬時の容器

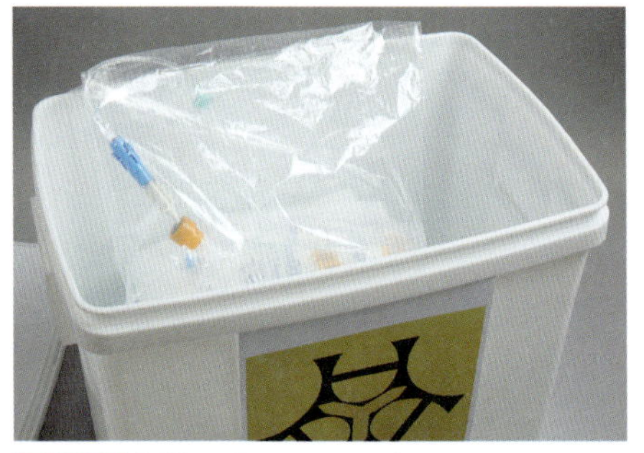

図2-17 保管（ジッパー付きプラスチックバッグ）
HDを入れたボトルや薬品はすべてジッパー付きプラスチックバッグに入れて保管する。

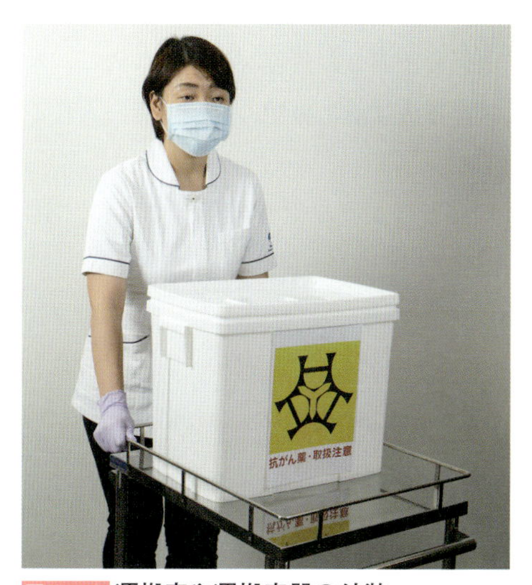

図 2-18 運搬車や運搬容器の外装
汚染時に特別な対処が必要であることを知らせるラベル（例：抗がん薬・取扱注意）などを付ける。
もともとマスクを着用して業務をしていることが多いため，ここではマスクを着けた写真とした。

図 2-19 保管場所
HD の保管場所であることを表示しておく。
〔写真提供：前 国立がん研究センター東病院薬剤部 野村久祥先生〕

ボトルや薬品はすべてジッパー付きプラスチックバッグに入れて保管する（図 2-17）。地震など不慮の事故で破損した場合に，運搬者を保護するとともに周囲に汚染が拡散しないようにするためである。

- 運搬車や運搬容器の外装には，汚染時に特別な対処が必要であることを知らせるラベル（例：抗がん薬・取扱注意）などを付ける（図 2-18）。一重手袋を着けて扱い，適切な方法で運搬する。
- 運搬を行うすべての者に，教育やその実践の評価を行う。

2 ›› 運搬担当者の注意事項

- 運搬時は一重手袋を着用する。迂回をすると危険性が増すため，薬を届ける目的の作業に徹する。
- 曝露を減らすために，運搬中に目に見える漏れを発見しても外袋は開けず，安全キャビネットがある場所に到着してから薬剤師が製剤を確認する。
- 万が一漏れた場合は，施設のマニュアルに準じた手順で行動する。

2 保管

日本は地震大国であるため，保管において破損を予測した管理が必要とされる。米国薬局方 USP General Chapter 〈800〉では，保管方法は前止めがある安全柵に入れるなどとしている[4]。

HD専用の保管スペースとするのが望ましい。どのような保管の仕方にせよ，HDの保管場所であることを表示しておく（図 2-19）。

参考文献

1）Oncology Nursing Society：Safe Handling of Hazardous Drugs, 2nd ed. pp.68-69, ONS Publications Department, 2011.
2）櫻井美由紀，阿南節子，石丸博雅，ほか：平成 25 年度学術委員会学術第 7 小委員会報告―抗がん薬安全取り扱いに関する指針の作成に向けた調査・研究．日本病院薬剤師会雑誌 50（9）：1065-1071, 2014.
3）一般社団法人日本がん看護学会，公益社団法人日本臨床腫瘍学会，一般社団法人日本臨床腫瘍薬学会（編）：2）運搬・保管時の曝露対策．がん薬物療法における職業性曝露対策ガイドライン 2019 年版．pp.65-68，金原出版，2019.
4）USP General Chapter 〈800〉 Hazardous Drugs-Handling in Healthcare Settings. Reprinted from USP 40-NF 35, Second Supplement, p.3, 2017.
https://www.usp.org/sites/default/files/usp/document/our-work/healthcare-quality-safety/general-chapter-800.pdf（2020 年 1 月 27 日アクセス）

（神田 清子）

病院 / クリニックにおける曝露対策 ③ 投与管理

HD は，静脈内投与と経口投与が大半を占めるが，その他，皮下注射，経管注入，軟膏塗布，体腔内注入など多様な経路があり，曝露対策は投与経路ごとに，汚染のリスクをふまえ，検討される必要がある。

HD の投与管理における曝露防止は，調製 / 調剤後から後片付けまでのプロセスを含む。HD の投与管理中は，看護師は複数の患者を受け持ち，多重業務を行いながらの作業となるため，管理は複雑である。薬の経路や併用薬の有無などをふまえて，レジメンごとに安全で効率的な投与管理計画を立案し備えておくことが重要である。

1 静脈内投与

静脈内投与の基本的な方法は以下のとおりである。

1 ›› 準備〔個人防護具（PPE），物品〕

手順

① 必要物品をそろえ，手を洗った後に，HD の飛散または漏出より保護するために PPE［二重手袋，ガウン，CSTD を使用できない場合は眼・顔面防護具（フェイスシールド / ゴーグル），呼吸器防護具（N95 マスク）を装着する（図 2-20）。

② 運搬用ジッパー付きプラスチックバッグから HD の輸液バッグなどを取り出す。

③ 患者のルート確保の際は，生理食塩液などの HD 以外の薬液でプライミングしたメインルートの輸液チューブを接続する。

＊曝露の影響を低減するためには，患者の腕の下に，裏がプラスチック製の吸収性パッドを敷き，HD 輸液バッグには空気針（エア針）を用いないことが重要である。

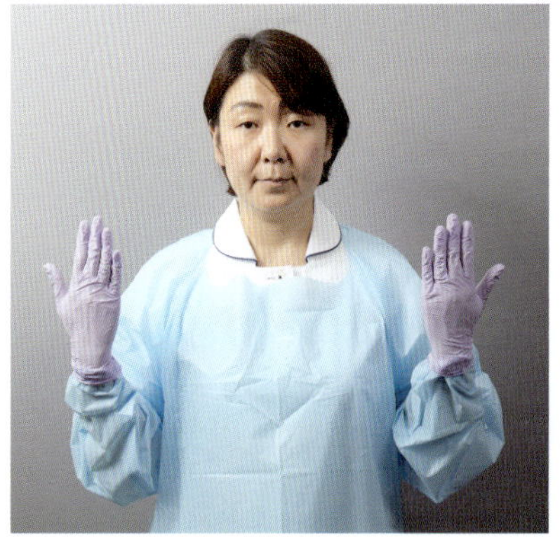

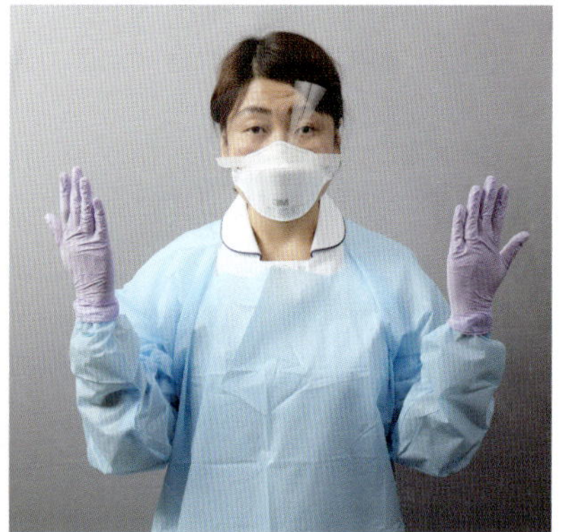

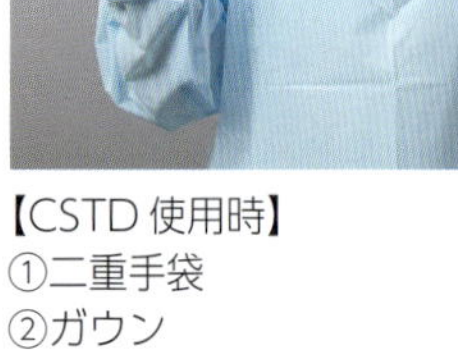

【CSTD 使用時】
①二重手袋
②ガウン

【CSTD を使用できない場合】
①二重手袋
②ガウン
③眼・顔面防護具（フェイスシールド / ゴーグル）
④呼吸器防護具（N95 マスク）

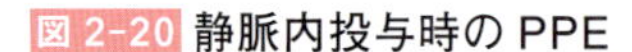

図 2-20 静脈内投与時の PPE

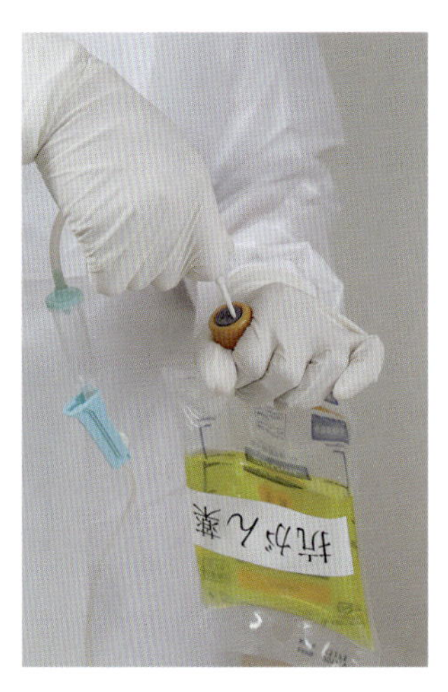

図 2-21 投与管理時の注意
目の高さよりも低い位置で実施する。

2 ›› 投与

すべての投与管理の作業は，目の高さよりも低い位置で実施する（図 2-21）。

■プライミング

HD 輸液バッグでプライミングをすると曝露の危険が高まるため，プライミングは，HD の調製前に実施することが求められている。調製は薬剤部において安全キャビネットで実施することが推奨されており，薬剤部との連携が不可欠である。

プライミング時の汚染は，HD 輸液バッグへのビン針の穿刺時，および，薬液を輸液チューブの先端に満たすときに生じる。それらを防ぐために以下の方法が考えられる。

CSTDを用いる場合

製品に応じた方法で用いる(第2章C「安全のための環境整備・物品 ②閉鎖式薬物移送システム(CSTD)」➡p.57)。

CSTDを用いない場合

以下のa, bいずれかで実施する(図2-22)

a) HDを調製する前に輸液バッグにビン針を刺入し,プライミングを実施した後にHDを調製する(安全キャビネット内にて実施)。

b) 安全キャビネット内でHDの入っていない輸液バッグにビン針を刺入した後,HDを調製する。

■接続

CSTDを用いる場合

製品に応じた方法で用いる(第2章C「安全のための環境整備・物品 ②閉鎖式薬物移送システム(CSTD)」➡p.57)。

CSTDを用いない場合(図2-22)

ルアーロック式の接続を選ぶ。

前項プライミングにおいてCSTDを用いないa)の場合:輸液チューブを側管からメインルートに接続する。

前項プライミングにおいてCSTDを用いないb)の場合:輸液チューブを薬液で満たさないまま側管から接続し(ベットサイドにて輸液チューブに薬液は満たさずに),バックプライミングで薬液を満たす(図2-23)。

調製前にビン針の刺入が難しい場合は,目の高さよりも下で輸液チューブのビン針をHD輸液バッグに穿刺する。

■交換

CSTDを用いる場合

製品に応じた方法で用いる(第2章C「安全のための環境整備・物品 ②閉鎖式薬物移送システム(CSTD)」➡p.57)。

CSTDを用いない場合

1つのHDにつき1つの輸液セットを用いる。

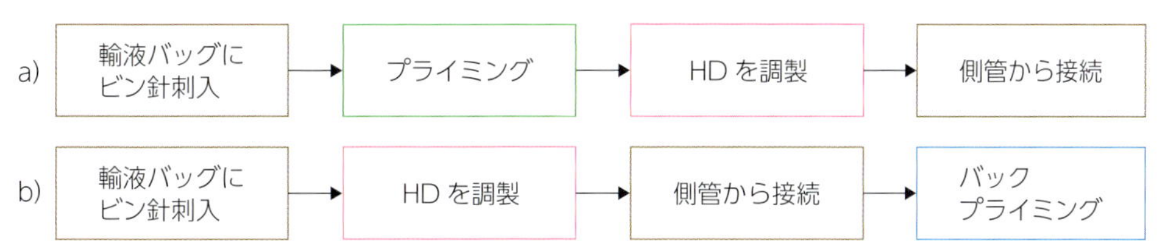

図2-22 CSTDを用いないプライミング〜接続の仕方

『がん薬物療法における職業性曝露対策ガイドライン 2019 年版』で示しているバックプライミングとは，CSTD 投与システムを使用せずに HD 静脈内投与を行う場合の HD の飛散や漏出を最小限にする方法である。メインルートの生食などにより，HD 輸液バッグの接続された側管ルートをプライミングする。側管ルートからみれば輸液チューブの先端側から輸液バッグ側にプライミングされるものであり，通常のプライミングとは逆方向となる仕組みである。

①HD 輸液バッグに接続された輸液チューブはプライミングしていない状態で，生食などのメインルートとルアーロックで接続されている。

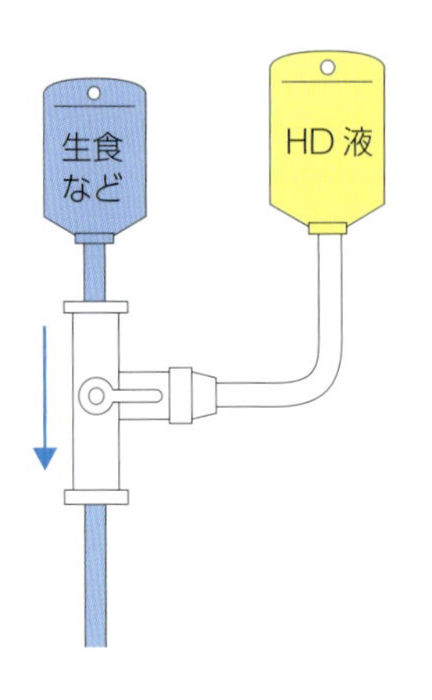

②HD 輸液バッグを生食などのメインの輸液バッグより低くし，HD 輸液バッグ側の輸液チューブに生食などを流す。このとき，輸液チューブ内のエアーが HD 輸液バッグ内に移動し気泡が生じるのを避けるため，ゆっくり注入する

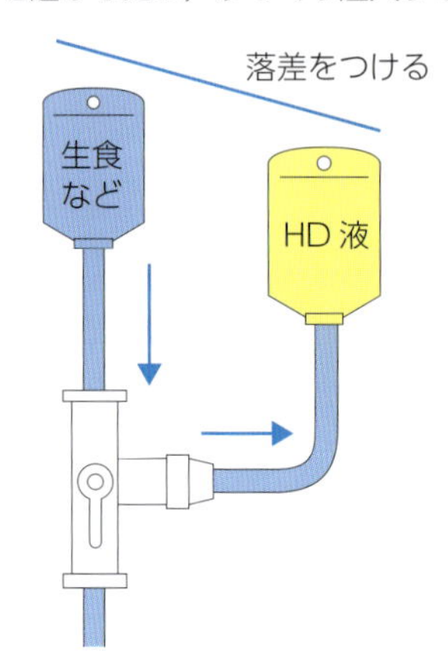

③バックプライミングが終了したら，滴下開始

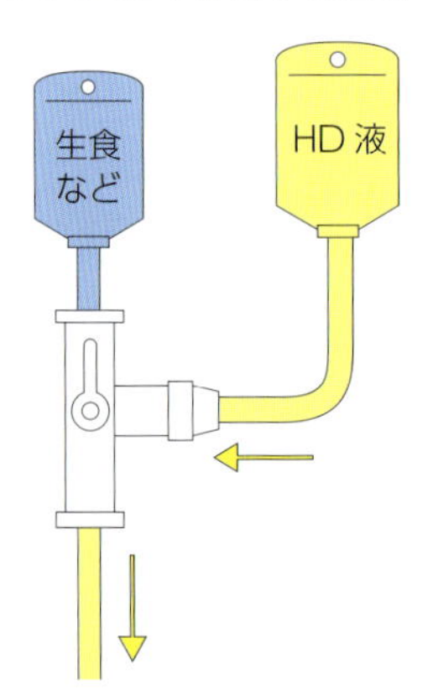

図 2-23 バックプライミング（HD 輸液バッグを側管から接続するとき）
〔一般社団法人日本がん看護学会，公益社団法人日本臨床腫瘍学会，一般社団法人日本臨床腫瘍薬学会（編）：がん薬物療法における職業性曝露対策ガイドライン 2019 年版．p.74，金原出版，2019.〕

複数のルアーロックの接続部を準備しておき，終了した輸液チューブは，はずさずにほかの接続部より投与を行う。やむをえず，側管から外す場合は，バックプライミング（図 2-24）を行い，輸液チューブ内の HD をウォッシュアウトする。そのうえで，接続部をガーゼで覆い，輸液バッグの輸液チューブごと接続をはずす。

MOVIE 4

①HD 投与終了し，HD 輸液バッグは空となったが，輸液チューブ内はHD 液であり，このまま接続部を外すと接続部から薬液が漏れて汚染する可能性がある。

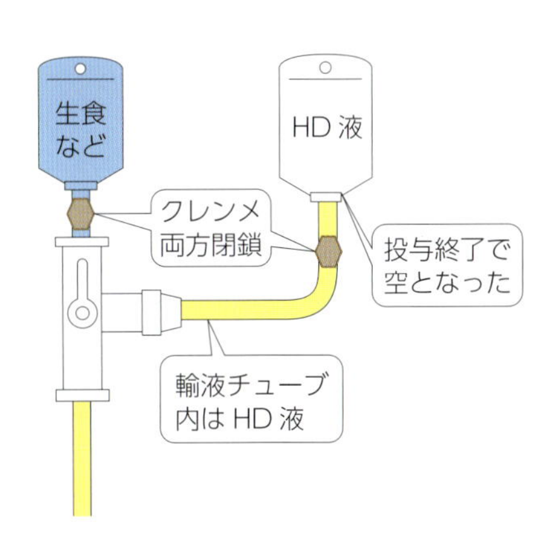

②HD 輸液バッグを生食などのメインの輸液バッグより低くする。HD 輸液バック側の輸液チューブを生食などで洗い流す（ウォッシュアウト）。

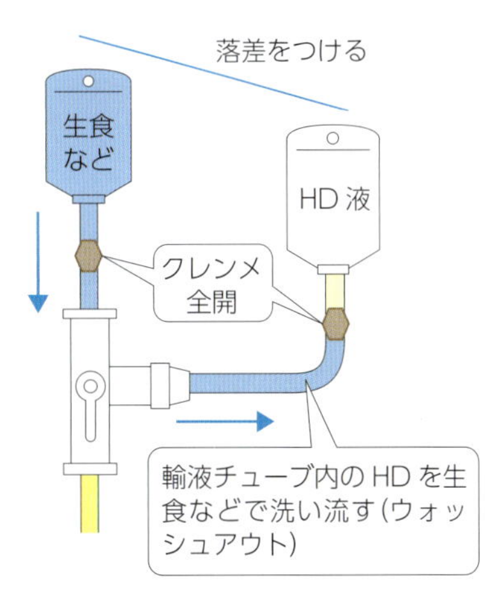

③バックプライミングが終了したら接続部をガーゼで覆い輸液バッグの輸液チューブごと接続を外す。

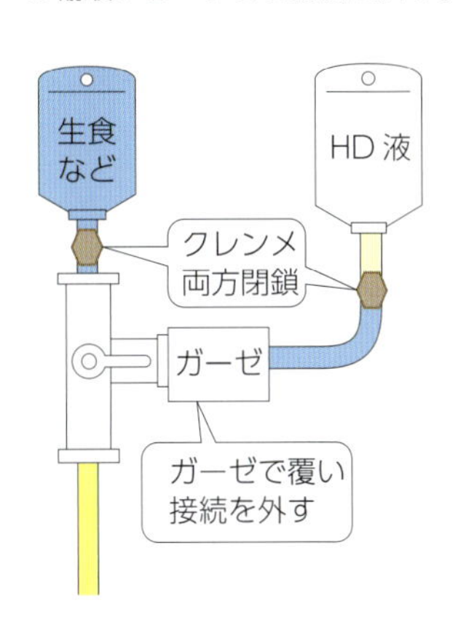

〈輸液終了時〉
血管穿刺部位までウォッシュアウトして抜針する。

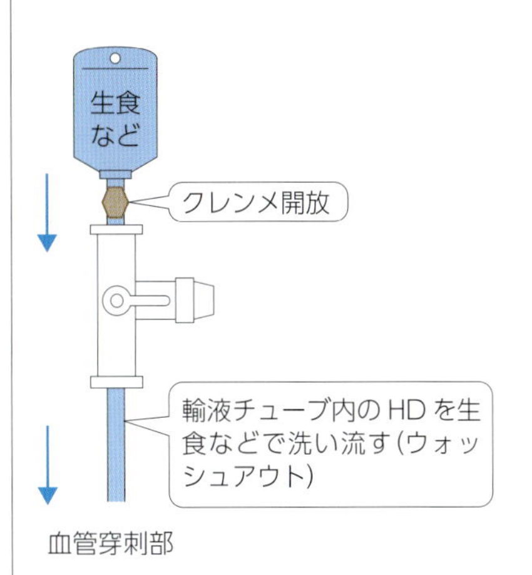

図 2-24 バックプライミング（HD 輸液バッグを側管からはずすとき）

■廃棄・後片付け

HD の投与終了時には，すべての接続を外さずにそのまま廃棄し，汚染している可能性のある物品は，すべてジッパー付きプラスチックバッグ（COLUMN「ジッパー付きプラスチックバッグ」➡p.132）に入れて密封してから HD 専用の廃棄容器に廃棄する（図 2-26 ➡p.138）。

PPE は手順に沿ってはずし，再利用せずにプラスチックバッグに入れ，手洗いを

COLUMN

ジッパー付きプラスチックバッグ

HD を入れたバッグ表面は汚染されている前提で取り扱うことが必要であり，運搬，廃棄などにはジッパー付きプラスチックバッグが推奨されている。

・ジッパー付きプラスチックバッグがない場合：

①ビニール袋の口を硬く縛ることで代用するなどの工夫をして，周囲が汚染しないようにする。

②ケモカバーの利用（株式会社パルメディカル）

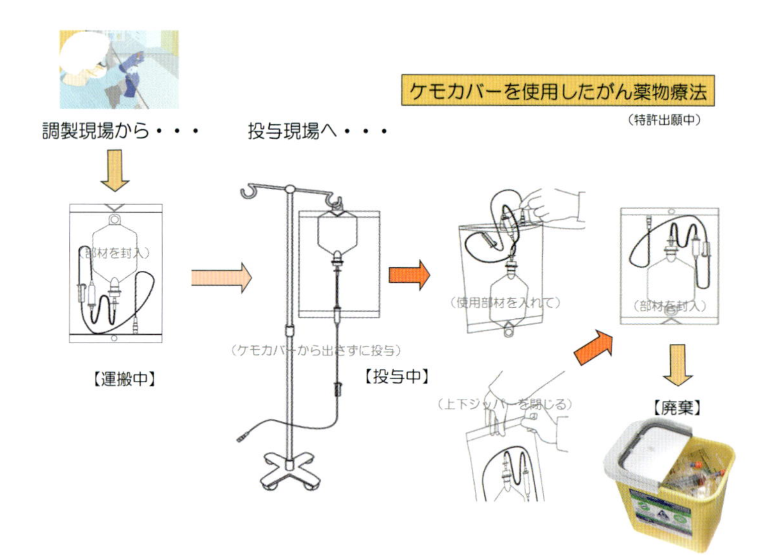

調製後バッグに入れ，プラスチックバッグの上部のジッパーから輸液のハンガーを引っ張り出してスタンドに吊るし，下のジッパーからラインを出してプラスチックバッグのまま投与，交換時の飛散も防止できる。投与終了後は PPE も入れて上下のジッパーを密封する。

〔写真・イラスト提供：株式会社パルメディカル〕

実施する。

手洗い時の注意点

- 汚染を揮発させる可能性があるため，アルコールベースの速乾性手指消毒は使用しない

■患者指導

静脈内投与中の曝露の予防，早期発見のために患者に以下の点を説明するとともに，観察を密に行うことが大切である。

- HD投与中は，輸液ラインが引っ張られたり接続が緩むことがないように，特に注意する。
- 万が一，漏れた場合はすぐに看護師に報告する。

2 経口投与

経口薬は，患者自身で投与管理を行うことが基本である。看護師は，適切に投与管理できるように患者指導を行うとともに，患者自身で内服が困難な場合には必要に応じて介助を行う。

1 ›› 患者指導内容

- 錠剤をつぶしたり，カプセル剤を開けない。
- 薬に触れないように注意深く内服する。
- 内服時に薬に触れてしまう場合は，一重手袋を装着する。
- 薬杯などを用いて内服すると容器が汚染されるために，可能な限り使用しない。
- 薬が飲みづらく，薬杯などの使用が必要な場合は，紙コップなどの使い捨て容器を用いる。

2 ›› 患者自身での内服が困難で，介助を要する場合

■錠剤やカプセル剤

介助者が一重手袋を装着して内服を促す。

■散剤

飛散しやすいために，介助者が取り扱う必要がある場合は，医療機関からの十分な指導のもと取り扱いをさせるべきである。散剤の取り扱い時は，院内・在宅ともに二

重手袋，ガウン，眼・顔面防護具（フェイスシールド／ゴーグル），呼吸器防護具（N95 マスク）が推奨されている。

3 ›› 後片付け

PPE や紙コップなど内服に用いた物品はジッパー付きプラスチックバッグに入れて廃棄する。内服後は石けんなどを用いて流水にて手を洗う。

3 経管注入

経口投与が難しい場合に経管注入が用いられる。この場合，薬を粉砕・破砕すると曝露の危険性が高くなるために，簡易懸濁法（第２章Ｆ「病院／クリニックにおける曝露対策 ①調製／調剤」➡p.117）によって溶解して用いることが推奨されている。

1 ›› 準備（PPE，物品）

手順

① 注入時に圧が高まり飛散や漏出の可能性があるために，PPE は厳重に装着する〔二重手袋，ガウン，眼・顔面防護具（フェイスシールド／ゴーグル），呼吸器防護具（N95 マスク）〕（図 2-25）。

② シリンジと経管チューブの接続部の下に吸収性パッドを敷き，シリンジと経管チューブの接続部をガーゼで覆う必要がある。

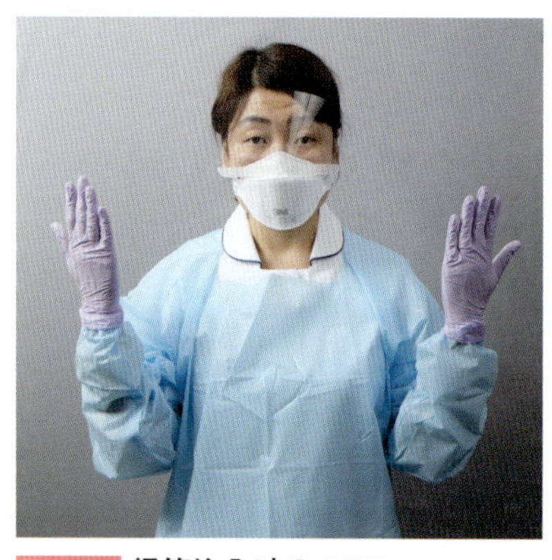

①二重手袋
②ガウン
③眼・顔面防護具（フェイスシールド／ゴーグル）
④呼吸器防護具（N95 マスク）

図 2-25 経管注入時の PPE

2 ›› 注入～廃棄

手順

① チューブが詰まっていないかを確認する（重要）。薬の注入前に，ほかの液で開通を確認することが必須。

② 開通を確認できたら，薬をゆっくりと注入する。注入中でも抵抗がある場合は，無理に継続せず，ほかの液で必ず開通を再確認する。

③ 注入終了時は，使用した物品をジッパー付きプラスチックバッグに入れてから廃棄する。PPE を手順に沿ってはずし，手洗いを行う。

4 局所投与

局所投与として最も多く実施されるのは，膀胱内注入である。その他，腹腔内，胸腔内または他の体腔内などがある。注入時の飛散および漏出への注意が必要である。

1 ›› 準備（PPE，物品）～廃棄

手順

① 注入に用いる器具類をそろえる。

【推奨】可能な限り CSTD〔製品に応じた方法で用いる（➡ p.57）〕やルアーロック式のシリンジを使用。

【推奨の器具を用いるのが難しい場合】シリンジとカテーテルの接続部をガーゼで覆うことが必要。

② PPE：CSTD 使用時は二重手袋，ガウン，CSTD を使用できない場合は，それらに加えて眼・顔面防護具（フェイスシールド / ゴーグル），呼吸器防護具（N95 マスク）（図 2-20 ➡ p.128 に同じ）。

③ 処置：シリンジとカテーテルの接続部の下に吸収性パッドを敷く。

④ 注入終了時：使用した物品をジッパー付きプラスチックバッグに入れてから廃棄し，PPE を手順にそってはずし，手洗いを行う。

なお，投与管理時の曝露対策一覧は，付録も参照（「がん薬物療法の調製時および投与管理時の曝露対策一覧」➡ p.163）。

参考文献

1）Polovich M, Olsen M, LeFebvre K：Chemotherapy and Biotherapy Guidelines and Recommendations for Practice, 4 th ed. Oncology Nursing Society, 2014.
2）一般社団法人日本がん看護学会，公益社団法人日本臨床腫瘍学会，一般社団法人日本臨床腫瘍薬学会（編）：がん薬物療法における職業性曝露対策ガイドライン 2019 年版．金原出版，2019.

（飯野 京子，市川 智里）

I

病院 / クリニックにおける曝露対策

④ 廃棄

抗がん薬に代表されるHDの調製などをはじめとする，その準備や投与・与薬過程で発生する廃棄物はすべて一般ゴミと廃棄方法が異なり，適切な処理を行う必要がある。しかしながら，日本においては曝露の危険性がある廃棄物に対して特別な規制はない。

濃度の高いHDがバイアルや注射器などに付着している場合は，蒸発や気化により大気中への放出（エアロゾルの吸入），また皮膚への付着や針刺しの危険性があり，医療従事者および廃棄物処理業者の曝露につながる（表2-11）。そのため組織としての管理体制を整えるとともに，個人が正しい知識をもち，行動することが必要である。

1 ›› 組織としての廃棄に関する管理

- 廃棄処理に関する手順書を作成する。
- HDの準備，投与に関連する廃棄物は貫通性がない蓋付きの感染性廃棄物容器を配置する（プラスチック製など）（図2-26）。

  ＊この際，HDの取り扱い廃棄物専用とする。

表2-11 取り扱いに注意を要する廃棄物

抗がん薬付着物	例
調製や投与時に使用したPPE	手袋，ガウン，マスク，眼・顔面防護具（フェイスシールド/ゴーグル），その他（靴カバー，ヘアキャップ）
調製に使用した物品	アンプル，バイアルと残液シリンジ，注射針，吸水性シート，消毒綿，各種CSTD（閉鎖式薬物移送システム）の使用物品
投与・処置に関連した物品	投与済みの点滴ボトル，輸液セット，シリンジ，吸水シート，消毒綿，ポート針，ガーゼ，腹腔・胸腔注入道具一式，インフューザーポンプ一式
与薬に関連した物品	経口薬の包装，坐薬の包装，外用薬のチューブ
治療患者の48時間以内の排泄物・体液で汚染された物品	尿・便・吐物・胸水・腹水・胆汁などの付着物，尿道留置カテーテル，ドレナージバッグ，紙オムツ，ナプキン，パッド，ストーマ用品など
抗がん薬スピル（こぼれ）時の処理物品	スピルキット，拭き取りに使用した布やペーパータオルなど

〔三上寿美恵：抗がん剤の曝露予防対策．がん看護15（6）：592-596，2010を参考に作成〕

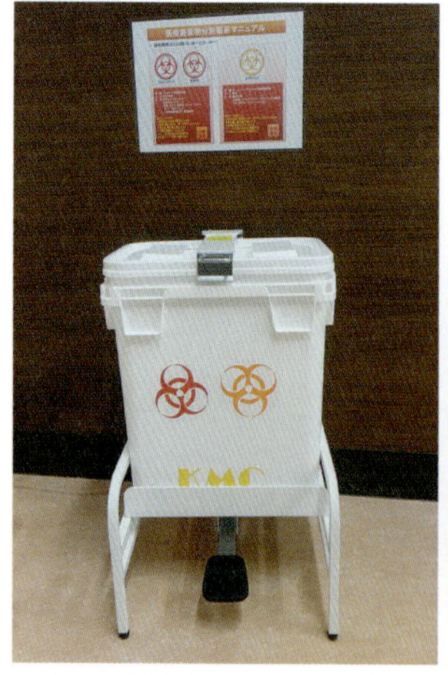

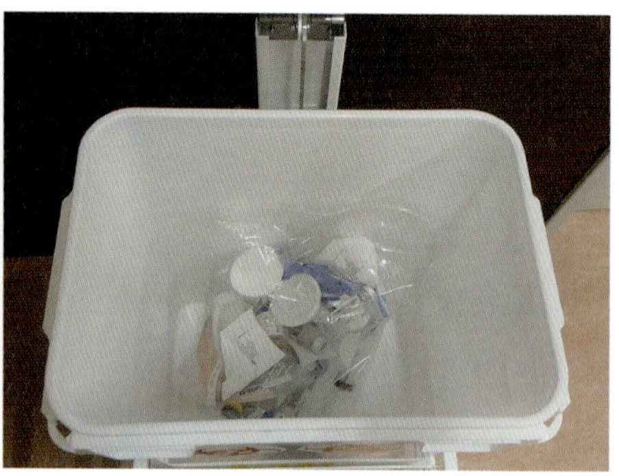

- ジッパー付きプラスチックバッグに入れ，蓋付きの感染性廃棄物容器に入れる。
- ルートが数本にわたるときには，容量が大きくなるので，一括して廃棄できるように大きめのジッパー付きプラスチックバッグを準備する。HD のルートは外してはいけない。

図 2-26 廃棄の仕方

- 廃棄物処理業者に対して，排出された HD を含む可能性のある感染性廃棄物を焼却・溶融処理をしているか確認する。
  ＊ HD の毒性は焼却・溶融により分解する。オートクレーブや高周波では作業者の曝露の危険性が高い。
- 廃棄を行うすべての者に教育を行う。PDCA サイクルに従い評価を行う。

2 ›› 医療従事者個々人の廃棄行動

- ほかの処置やケアとして一連の流れの中に廃棄行動が存在する。
  ＊調製時の PPE（第 2 章 F「病院 / クリニックにおける曝露対策 ①調製 / 調剤」➡ p.117）やスピル時などの PPE（第 2 章 K「病院 / クリニックにおける曝露対策 ⑥スピル時」➡ p.145）と排泄物取り扱い時などの PPE（第 2 章 J「病院 / クリニックにおける曝露対策 ⑤患者の排泄物・体液 / リネン類の取り扱い」➡ p.140）は異なることに注意する。
- 調製に使用した HD の入っていたバイアルやアンプル，注射器や注射針，PPE など：ジッパー付きプラスチックバッグに入れ，蓋付きの感染性廃棄物容器に入れる（図 2-26）。
  ＊薬剤の残量があるときには薬剤部に返却する。
  ＊まずジッパー付きプラスチックバッグに入れることで，曝露が拡散するのを予防する。
- 輸液バッグ：点滴ルートをはずさずにジッパー付きプラスチッグバッグに入れ，

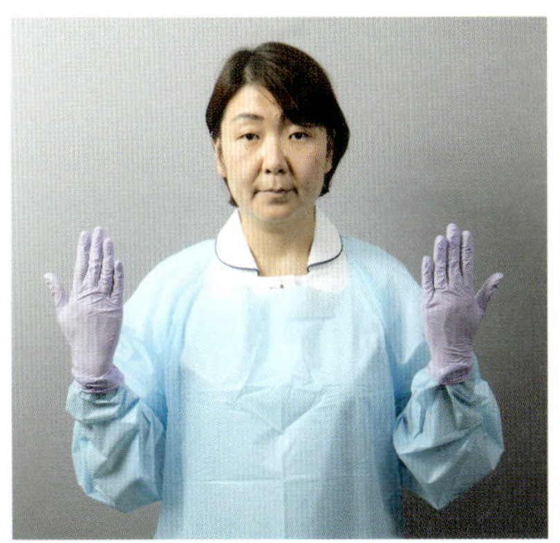

①二重手袋
②ガウン
＊飛散が起こる可能性がある場合は，眼・顔面防護具を着用

図 2-27 廃棄時の PPE

蓋付きの感染性廃棄物容器に入れる。

＊ルートが数本にわたるときには，容量が大きくなるので，一括して廃棄できるように大きめのジッパー付きプラスチックバッグを準備する。

＊ HD のルートははずしてはいけない。

- HD を取り扱う「髄注」「膀胱内注入」「胸腔内・腹腔内注入」の際の物品：同様に廃棄する。
- HD 投与中あるいは投与後 48 時間以内にある患者の吐物，ストーマパウチの処置，尿失禁中の患者のオムツ，その他の汚染物：ジッパー付きプラスチックバッグに入れ，蓋付きの感染性廃棄物容器に入れる。
- HD 汚染の廃棄物運搬時は，二重手袋・ガウン，飛散が起こる可能性がある場合には，眼・顔面防護具としてフェイスシールド / ゴーグルを着用する（図 2-27）。

参考文献

1) 三上寿美恵：抗がん剤の曝露予防対策．がん看護 15 (6)：592-596，2010.
2) 一般社団法人日本がん看護学会，公益社団法人日本臨床腫瘍学会，一般社団法人日本臨床腫瘍薬学会 (編)：4) 廃棄時の曝露対策．がん薬物療法における職業性曝露対策ガイドライン 2019 年版．pp.89-90，金原出版，2019.
3) 櫻井美由紀，阿南節子，石丸博雅，ほか：平成 25 年度学術委員会学術第 7 小委員会報告　抗がん薬安全取り扱いに関する指針の作成に向けた調査・研究．日本病院薬剤師会雑誌 50 (9)：1065-1071，2014.

（神田 清子）

病院 / クリニックにおける曝露対策

J ⑤ 患者の排泄物・体液 / リネン類の取り扱い

1 曝露対策の必要な期間

1 ›› 投与後最低限 48 時間が目安

患者に投与された抗がん薬をはじめとする HD とその代謝物は，尿・便のほか，汗・血液・乳汁・胸水や腹水，吐物などにも含まれ，投与後最低限 48 時間は曝露対策が必要である。曝露対策の必要な期間は薬剤によって異なるが（第 1 章 D「HD の薬物動態」➡ p.27），薬剤の大半は 48 時間以内に排泄されること，薬剤ごとに異なる期間を設定することは業務上の支障が懸念されることから，「最低限 48 時間」と示される。

2 ›› 長期間注意すべき薬剤も存在

排泄物処理の際に PPE の着用が推奨される期間を個別にみると，シスプラチンでは尿が 7 日間，ダウノルビシン塩酸塩では便・尿ともに 7 日間[1]など，長期間の薬剤

肺がん患者さんの PE 療法時の曝露対策について

	排泄物処理時に PPE 着用が推奨される期間	
	尿	便
P　シスプラチン	7 日間	データなし
E　エトポシド	3 日間	5 日間

当院では，7 日間は曝露の可能性があるものとして
取り扱いましょう！
入院中の男性患者様には，この間，
洋式トイレで座位で排尿していただきましょう！

図 2-28 曝露対策期間の周知の例（PE 療法を受ける肺がん患者の排泄物処理時）

もあるため，自施設でよく行われるレジメンについては独自に曝露対策の期間を検討することも１つの策である（図 2-28）。

2 取り扱い時の PPE

投与後の患者の排泄物／体液に含まれるHD成分は，HDそのものやHD入りの輸液バッグに含まれるものに比べ微量であり，一般の患者の排泄物処理時と同様のスタンダードプリコーションが適切に行われていればよい。

- 投与後，最低限48時間の患者の尿・便，胸水や腹水，吐物，血液，大量の汗およびそれらに汚染されたリネン類取り扱い時のPPE：一重手袋，ガウン（撥水性のものであれば可），飛散が起こる可能性がある場合は，眼・顔面防護具（フェイスシールド／ゴーグル／サージカルマスク）（特に飛散の可能性がある場合はフェイスシールド）を着用する（図 2-29）。
- 患者の使用後の衣類や寝具類であっても，特に上記の汚染がない場合：一重手袋とマスクでよい。

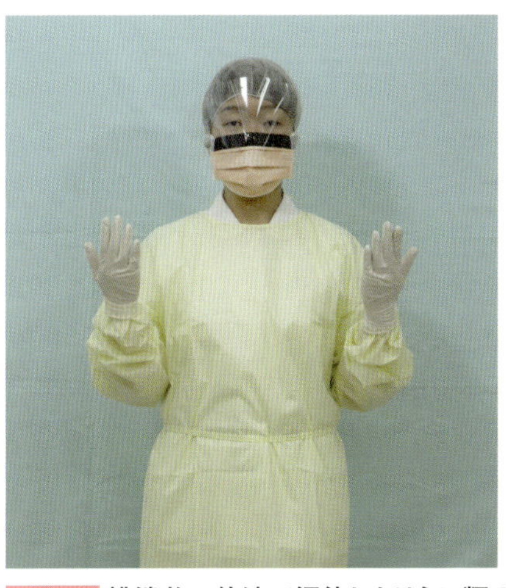

①一重手袋
②ビニールガウン

＊飛散や吸収が起きる可能性がある場合は，③④も着用
③眼・顔面防護具（ゴーグル／フェイスシールド／サージカルマスク）
④呼吸器防護具（N95 マスク）等

左の写真は，①②③を着用した状態

図 2-29 排泄物・体液で汚染したリネン類の取り扱い時に必要な PPE

3 場面ごとの曝露対策

1 ›› 施設内での対策

■トイレ

- 可能なら蓋つきの洋式トイレの一部を，HD 投与患者専用として区別し，排尿方法の掲示や水洗で流せる拭き掃除用シートを設置する
- できるだけ尿器やポータブルトイレは使用せず，トイレを使用することが望ましいが，それらを使用した場合は以下を行う。

  ＊尿器を使用した場合

  ⇨ 可能なら自分で水洗し，洗浄機にかける

  ＊ポータブルトイレや差し込み便器を使用する場合

  ⇨ ビニール袋をかけて使用し，使用後はビニール袋の口を縛り，さらに別のビニール袋に密閉して廃棄する

■蓄尿・尿測

- 蓄尿や尿測はできるだけ避けるよう医師と調整し，体重測定や尿回数で代用する。

  ＊蓄尿や尿測が避けられない場合（以下の a, b いずれかで対応）

  ⇨ a）患者がディスポーザブルのコップに採尿し，尿測または蓄尿をする。コップはすみやかに患者が自分でビニール袋に密封して破棄する

  ⇨ b）尿流量測定装置を設置し，採尿コップを使わずに尿測を行う（図 2-30）

■ドレーン・カテーテルからの排液

- HD の胸腔内・腹腔内注入後の排液，および膀胱内注入後の尿道留置カテーテルからの尿廃棄時は，使い捨ての廃棄容器に飛散しないように高分子吸収材（ポリマー）を入れる，紙オムツなどに吸収させる等をし，ビニール袋に入れて密閉して廃棄する。やむを得ず汚物槽に流す場合は周囲に飛散しないよう注意深く行う。

■オムツ，排泄後のケア

- 排泄後や陰部洗浄後のオムツは，ビニール袋に密閉して廃棄する。
- 失禁がある患者の場合は，排泄物との接触から皮膚を保護するため，石けんを用いて洗浄し，会陰部や肛門部に保護クリームを塗布する。

■吐物，汗

- 嘔吐の可能性がある患者のベッドサイドに設置するガーグルベースンは，ディスポーザブル製品，またはプラスチック製のものにビニール袋をかけたものとする。
- 大量の発汗が予測される患者では，リクライニングシートやベッドにディスポーザブルの吸収性シート（またはパッド）を敷く。

・病棟における 24 時間尿量管理に対応するトイレ
・泌尿器科における尿流測定(ウロフロメトリー検査)にも対応
・自動で 2 度流しも設定可能

〈注意〉
・蓄尿，尿検体の採取はできない
・排便量は排尿量に換算される(それぞれの分量は測定できない)

測定方法と原理

① 患者はバーコードをかざし排泄する

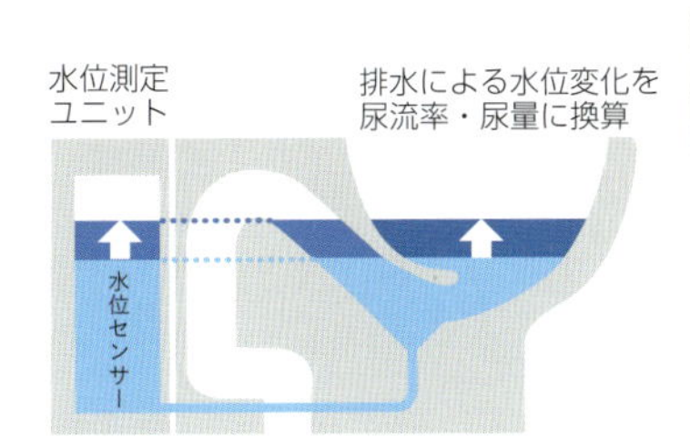

② 排尿による水位変化を尿量に換算

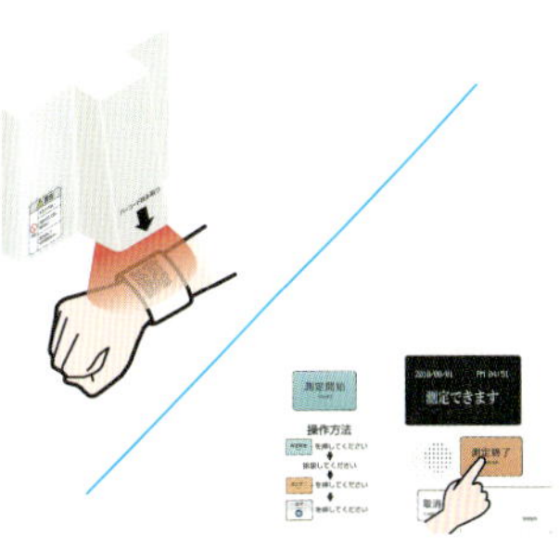

③ 患者はバーコードをかざす，または測定終了ボタンを押す

図 2-30 尿流量測定装置　フロースカイ(TOTO 株式会社)
〔写真・イラスト提供：TOTO 株式会社〕

■洗濯

- 尿・便，胸水や腹水，吐物，血液，大量の発汗などで汚染されたリネン類は 2 度洗いする。
  - ＊1 回目は他の洗濯物とは区別し，前述の PPE を着用して予洗い，2 回目は通常の洗濯を行う
  - ＊すぐに予洗いができない場合はビニール袋に入れて封をしておき，HD 成分による汚染物であることがわかるよう表示しておく

2 ›› 患者・家族への指導

■トイレ

- 周囲への飛び散りを最小限にするよう，できれば洋式トイレを使い，男性も座位で排尿する。
- 水洗は便器の蓋を閉めて行う。水量や水圧が不十分な場合は 2 回流すように指導する。
- トイレ周囲を汚染した場合は自分で清掃する。

■洗濯

- 尿・便，胸水や腹水，吐物，血液，大量の発汗などで汚染されたリネン類は２度洗いする。
  - ＊１回目は他の洗濯物とは区別し一重手袋を装着して予洗い，２回目は通常の洗濯を行う
  - ＊すぐに予洗いができない場合はビニール袋に入れて封をしておく

■ストーマケア

- HD 投与前（前日，または当日の朝）および，可能なら対策を要する期間終了後に交換できるよう可能な範囲で調整する。
- ストーマパウチはワンピース型のものを１回限りの使用とし，再利用しない。
- 便や尿を処理する際は，便器にトイレットペーパーを広げた上で行い飛散を防ぐ。
- 本人以外が交換を行う場合は手袋とマスクを着用して行う。
- 本人・家族いずれが交換した場合も，石けんと流水で十分手洗いをする。

文献

引用文献

1）一般社団法人日本がん看護学会，公益社団法人日本臨床腫瘍学会，一般社団法人日本臨床腫瘍薬学会（編）：がん薬物療法における職業性曝露対策ガイドライン 2019 年版．pp.90-91，金原出版，2019.

参考文献

1）石井範子（編）：看護師のための抗がん薬取り扱いマニュアル─曝露を防ぐ基本技術 第２版．pp.69-71，ゆう書房，2013.

（平井 和恵）

病院 / クリニックにおける曝露対策
⑥ スピル時（HD がこぼれたとき）

HD を取り扱うあらゆる場面では，前提として，こぼれが生じないよう適切な手技で取り扱うこと，適切な個人防護具（PPE）を装着していることが最も重要である。特に HD の調製や投与を行う部署では，万が一こぼれた場合に備えることは不可欠である。しかし，HD を取り扱う施設であれば，HD 投与中の患者の移動や HD の搬送など，さまざまな動線内でこぼれが生じる可能性があり，PPE を装着していない医療従事者がこのような場面に遭遇する可能性は高い。そのため，HD のこぼれた場面に遭遇した医療従事者は，誰でもすみやかに適切な対処ができるよう，常日頃から施設内の取り決めを共通認識し，定期的な訓練を行っておくことが必要である。

1 スピルキット

HD がこぼれたときの処理に必要な物品一式は“スピルキット”として，HD を取り扱うすべての部署に複数個ずつ常備しておく必要がある。スピルキットに必要な内容物を以下に示す。スピルキットの製品の例を 表 2-12 に示す。

物品

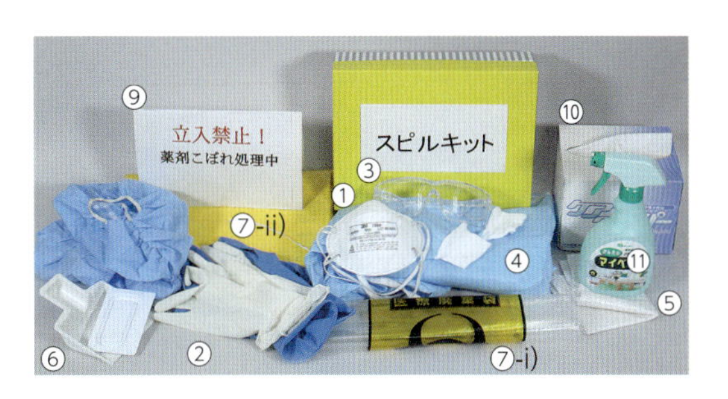

① 呼吸器防護具（N95）

② 手袋 2 双（外側 / 内側用）

③ 眼・顔面防護具（ゴーグル / フェイスシールド）

④ 長袖ガウン

⑤ 吸収性シートまたはスワブ
- 吸収性シートは，片面は吸水性，片面は防水性のもの（例：生理用ナプキン）

⑥ ガラス破片の清掃用具（スコップ状のディスポーザブル製品）

⑦ 廃棄物処理バッグ
 i ）ジッパー付きプラスチックバッグ

表 2-12 スピルキットの製品の例

製品名	ケモプラス ™ スピルキット	簡易スピルキット CONVEX-SPL	ケモスピルキット ケモガードプラス
販売	日本コヴィディエン株式会社 日科ミクロン株式会社	株式会社 日本医化器械製作所	日科ミクロン株式会社
セット内容			
マスク	N95	N95	N95
手袋	○(2 双)	○(2 双)	○(2 双)
保護ガウン	○	○	○
保護メガネ	○	○	○
靴カバー	○	○	○
吸収シート	吸収シート 吸収パッド	吸収シート 吸水紙	吸収シート 拭き取りシート
清掃用具	ちりとり(スクレイパー付)	ミニちりとり・ほうき	ディスポちりとり(2 個)
廃棄物処理バッグ	大 2 枚	大 1 枚 チャック付き 1 枚	大 1 枚 小(透明) 2 枚
その他	結束バンド 警告標識	ピンセット	警告サインカード(4 枚) ヘアガード インシデントレポート チェックシート

〔写真提供：日本コヴィディエン株式会社，日科ミクロン株式会社，株式会社日本医化器械製作所〕

・①②③④が入れられる大きさのもの　1 枚
・⑤⑥が入れられる大きさのもの　2～3 枚

ii) 厚手のプラスチックバッグ(警告ラベル付き)
・ i) のすべてが容易に入れられる大きさのもの　1 枚

⑧ 耐貫通性容器

⑨ 「立入禁止」「汚染処理中」などの警告標識

⑩ ディスポーザブルのタオルまたはワイパー

⑪掃除用の中性洗剤

⑫プラスチックバッグ(水拭きタオル用)

⑬不活化用の薬品

＊スピルキット搬送者用

① N95 マスク

② 一重手袋

2 HD がこぼれたときの対処

HD のこぼれ処理を行う場合は，スピルキットを搬送してきた者が協力者となり処理者の補助を行うと，すみやかな処理と汚染拡大の防止に役立つ。HD こぼれ処理の流れを 図 2-31 (➡ p.148) に示す。

なお，施設内での取り決めの際には，スピルキットを常備していないエリア内での万が一の事態に備え，どの場所でのこぼれを，どの部署（スピルキットを常備している部署）が対処するのかについて，施設全体での共通認識と協力体制を検討する必要がある。

1 ›› HD のこぼれに遭遇したら

発見者（処理者）はその場を離れず，ほかのスタッフに，声かけやナースコールなどでスピルキットの搬送と応援を求める。輸液ラインの接続部からの漏れの場合，PPE（手袋）を装着していれば，すみやかにクレンメを閉じ接続部の処理を行う。応援要請を受けた者（協力者）は N95 マスクと手袋を装着し，直ちにスピルキットを届ける。

2 ›› スピルキットが到着したら

スピルキットの開封，「立入禁止」など警告標識の表示，廃棄物処理バッグの口を開けておくなどの作業は，協力者が補助すると処理者が作業しやすい。ただし協力者によるこれらの作業は，立入禁止区域外で行う。

手順

① こぼれた場所から処理者の作業スペースを確保した外側に，「立入禁止」の警告を表示する。

② 〈処理者が PPE（二重手袋含む）を装着していた場合〉
- 外側の手袋を中表で外し，廃棄物処理バッグに入れる
- N95 マスク，靴カバーなど不足の PPE があれば装着し，新しい外側の手袋

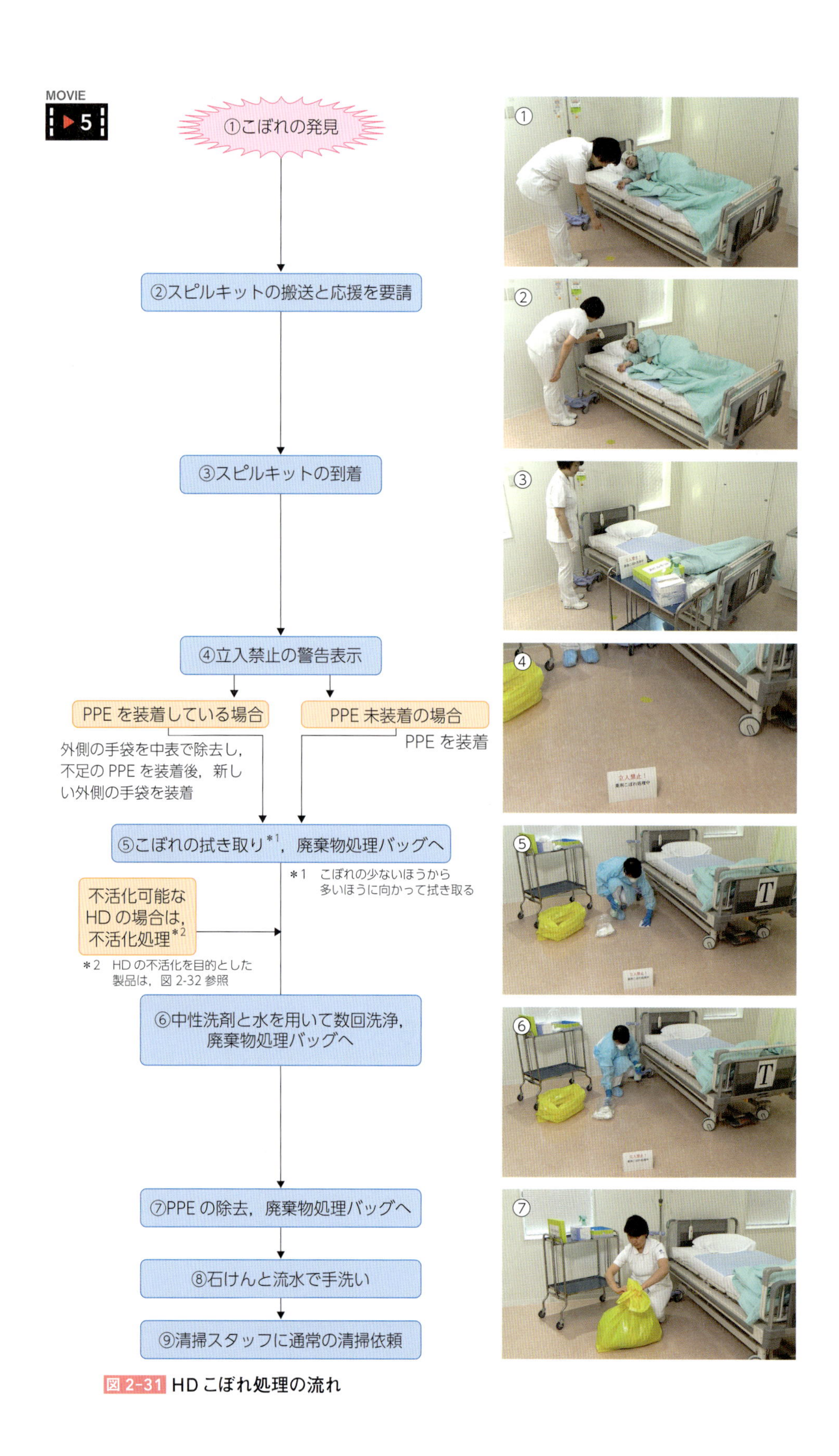

図 2-31 HD こぼれ処理の流れ

を着用する

〈処理者が PPE を未装着の場合〉

・すべての PPE を着用する
・輸液ラインの接続部からの漏れの場合，着用後すみやかに接続部の処理を行う

＊揮発性の HD がこぼれたことが明らかな場合
⇨ PPE をすべて装着するより先に，こぼれた場所を吸収性シートで覆う。

3 ›› こぼれ処理

手順

① こぼれに直接触れないよう注意しながら，こぼれの少ないほうから多いほう（外側から内側）に向かって吸収性シート（またはスワブ）で拭き取り，廃棄物処理バッグに入れる。

＊吸収性シートの片面が防水性でない場合
⇨ 吸収性シートより一回り大きな防水性シートを上から被せて拭き取る。

② ガラスの破片がある場合は触れないよう注意しながら，スコップ状の清掃用具を用いてすくい取り，耐貫通性容器に入れる。

＊①②の工程で使用したものは最も高濃度の汚染物であるため，そのつどジッパー付きプラスチックバッグに入れ，すみやかに密封する。

③ HD がこぼれた区域を，ディスポーザブルのタオルやワイパーを用いて，清掃用の中性洗剤での拭き取り，水拭きを 3〜4 回行う（協力者がビニール袋などに，水で濡らしたディスポーザブルタオルを複数枚準備しておくと，処理者が作業しやすい）

＊安全キャビネットまたはアイソレーター内でのこぼれ処理時の洗浄
⇨ 無菌性確保のため滅菌水を使用し，最後にアルコールで仕上げ拭きを行う。

④ HD の中には，薬剤によって不活化できるものがある（図 2-32 ➡ p.150）。不活化できる薬剤がある場合は，①②の処理後，不活化用の薬剤をディスポーザブルのタオルやワイパーなどに染み込ませて，汚染区域を拭き取り，乾拭きまたは水拭きを行う。

●抗がん剤除去セット
（株式会社 日本医化器械製作所）
作業時に希釈せず，そのままワイパーなどに含ませ拭き取る。

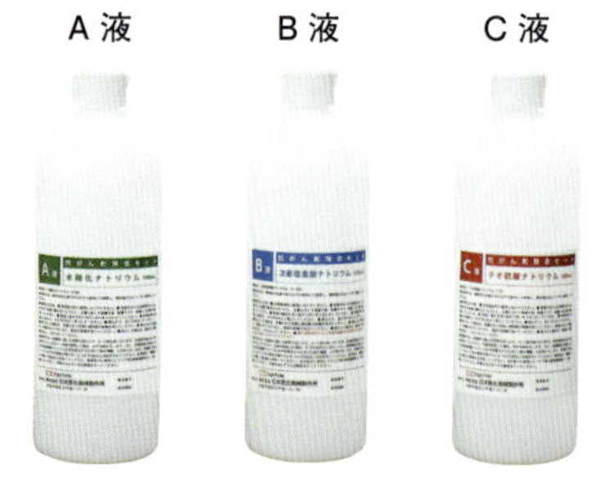

〔写真提供：株式会社 日本医化器械製作所〕

●抗がん剤無毒化時に使用する除去剤分類表

抗がん剤除去セット構成品	商品名	一般名
A 液　水酸化ナトリウム (0.3 M)	タキソール®注	パクリタキセル
	タキソテール®注	ドセタキセル水和物
B 液　次亜塩素酸ナトリウム (2～6%)	フトラフール®注，イカルス®注	テガフール
	カルセド®注射用	アムルビシン塩酸塩
	ナベルビン®注	ビノレルビン酒石酸塩
	5-FU 注 250 mg	フルオロウラシル
C 液　チオ硫酸ナトリウム (1%)	ランダ®注，ブリプラチン®注，プラトシン®注，シスプラチン注	シスプラチン

抗がん剤除去セット構成品	商品名	一般名
アルカリ処理で分解 A 液　水酸化ナトリウム (0.3 M) または B 液　次亜塩素酸ナトリウム (2～6%)	アクラシノン®注射用	アクラルビシン塩酸塩
	アドリアシン®注	ドキソルビシン塩酸塩
	イダマイシン®注	イダルビシン塩酸塩
	イムノブラダー®膀注用，イムシスト®	乾燥 BCG
	注射用サイメリン®	ラニムスチン
	ダウノマイシン®	ダウノルビシン塩酸塩
	ダカルバジン注	ダカルバジン
	テラルビシン®注射用，ピノルビン®注射用	ピラルビシン塩酸塩
	注射用ハイカムチン®	ノギテカン塩酸塩
	ファルモルビシン®注，ファルモルビシン®RTU 注射液	エピルビシン塩酸塩
	フルダラ®	フルダラビンリン酸エステル
	ベプシド®注，ラステット®注	エトポシド
	マイトマイシン®注用	マイトマイシン C
	ロイナーゼ®注	L-アスパラギナーゼ

〔株式会社日本医化器械製作所：抗がん剤除去セット．http://www.nihonika.co.jp/product/575.html（2020 年 1 月 27 日アクセス）〕

●抗癌剤不活化ワイプ　トリプルクリン
（販売：ニプロ株式会社）
個包装になっており，開封後すぐ使用できる。
（使用期限 2 年間）

〔写真提供：ニプロ株式会社〕

図 2-32 HD の不活化を目的とした製品の例
いずれも次亜塩素酸ナトリウム，チオ硫酸ナトリウム，水酸化ナトリウムの 3 剤であり，もともとは安全キャビネット内の汚染除去目的に作られた製品である。

4 ›› PPEの除去，後片付け

PPEの表面は汚染の可能性があるものとし，表面に触れないように注意深く除去する。除去後はそのつど，廃棄物処理バッグに入れていく。

手順

① 二重手袋のまま靴カバーを除去する（靴カバーは最も汚染のリスクがあるため）。

② 外側の手袋を中表で除去する。

③ 表面に触れないように注意しながら保護メガネ，ガウン，マスクの順に除去し，最後に内側手袋を除去する。

④ 廃棄物処理バッグの口を縛り，所定の場所に出す。

⑤ 石けんと流水で手洗いをする。

＊速乾式の手指消毒剤は，手洗い後に使用する。

5 ›› 通常清掃の依頼

「立入禁止」の標識を設置してある区域の通常清掃を依頼する。

確認

- □ HDがこぼれたときの対応について，施設内の取り決めは文書化されていますか
- □ HDを取り扱うエリアにスピルキットを常備していますか
- □ HDがこぼれたときの対応を理解していますか
- □ HDがこぼれたときの対応について，定期的な訓練を行っていますか

参考文献

1）一般社団法人日本がん看護学会，公益社団法人日本臨床腫瘍学会，一般社団法人日本臨床腫瘍薬学会（編）：6）HDがこぼれた時（スピル時）の曝露対策．がん薬物療法における職業性曝露対策ガイドライン2019年版．pp.97–98，金原出版，2019.

（平井 和恵）

L

病院 / クリニックにおける曝露対策

⑦ 曝露時

HD を取り扱う際は，あらゆる場面で曝露を予防することが大前提である。それでも万が一曝露してしまった際は，直ちに適切な対処をし，曝露による影響を最小限にすることが最も重要である。

1 曝露直後の対応

曝露時，直ちにとるべき対応を表 2-13 に示す[1, 2)]。その中で，眼球が汚染し，洗眼用の水栓がない場合の対応を図 2-33 に示す。

次に，各施設の取り決めに沿った対応をとる。表 2-14 にその例を示す。

表 2-13 曝露時，直ちにとるべき対応

汚染部位	対応
皮膚	石けんと流水で十分に洗浄する
眼球	水または等張性洗眼薬または生理食塩液で 15 分以上すすぐ（図 2-33）
針刺し	作業を中断し，流水下で血液を絞り出す
PPE・衣服	汚染した部位に触れないように，また周囲の環境を汚染しないように注意深く脱ぐ*

＊ 第 2 章 D「安全のための環境整備・物品 ③個人用防護具（PPE）」➡ p.96
第 2 章 J「病院 / クリニックにおける曝露対策 ⑤患者の排泄物・体液 / リネン類の取り扱い」➡ p.140

〔一般社団法人日本がん看護学会，公益社団法人日本臨床腫瘍学会，一般社団法人日本臨床腫瘍薬学会（編）：V 職員が HD に汚染した時．がん薬物療法における職業性曝露対策ガイドライン 2019 年版．p.102，金原出版，2019．および，日本病院薬剤師会（監），遠藤一司，濱敏弘，加藤裕久，米村雅人，中山季昭（編著）：4．汚染時の処置．抗悪性腫瘍薬の院内取扱い指針 抗がん薬調製マニュアル 第 4 版．p.7，じほう，2019 を参考に著者作成〕

表 2-14 曝露時の施設における取り決め（例）

- HD そのものや HD を含む輸液成分が皮膚に付着した場合：
  量の多少にかかわらず 24 時間以内に皮膚科を受診する
- 排泄物・体液の付着の場合：応急処置のみで経過観察とする
- HD/HD を含む輸液，排泄物 / 体液を問わず，曝露した場合：
  必ずヒヤリハット報告書を記載する

対応策①

①ディスポーザブル膿盆に水道水または生理食塩液を満たす
②汚染した側の眼をつけてまばたきを繰り返す
③水を交換して数回繰り返す
＊ 汚染側の眼以外はできるだけ濡れないようにする

対応策②（Kartell 緊急用洗眼ビン）

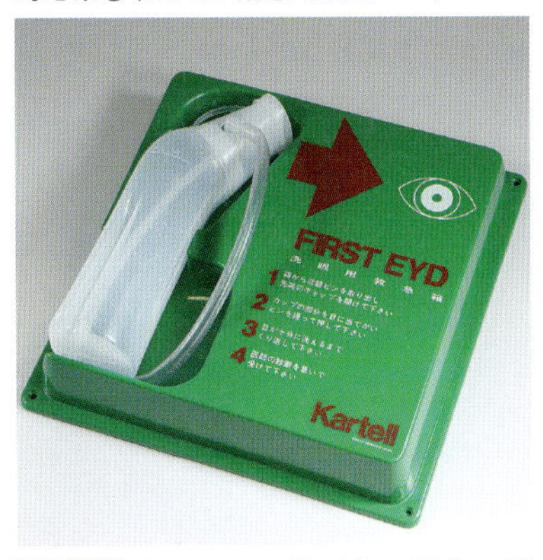

ボトルを押して眼球を洗浄

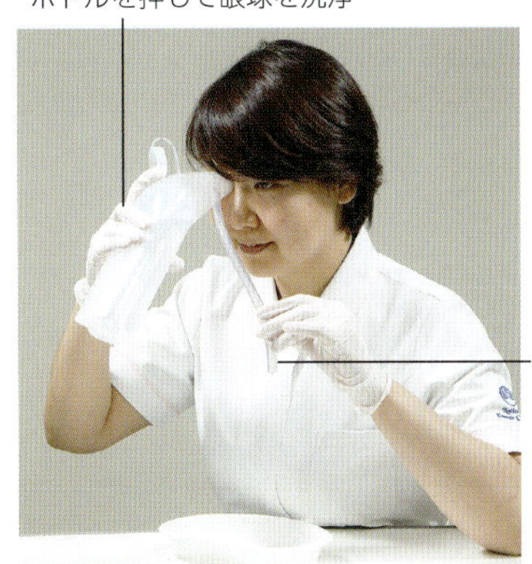

洗浄後の水はチューブから排出される

図 2-33 洗眼用の水栓がない場合の対応

2 曝露後数日間の対応

曝露後数日間は，急性症状（第１章Ｅ「HDが医療者の健康に及ぼす影響」➡p.31）に留意して，曝露した部位や全身状態の変化を注意深く観察する。

日本の現状では，HD曝露時の急性症状の経過は，医療者にも共通認識されているとはいえないため，異変があれば医師に相談する。可能な場合は写真撮影をして医師や管理職に情報提供することも意味がある。

HDに曝露した経験と長期的な健康影響の因果関係を明らかにすることは困難だが，いつ（年月日），何を（HDの種類，名称），どこに（部位），どのようにして（付着，誤針など）曝露したのかという履歴は，健康管理の１つとして自身で記録しておくとよい。

☑確認

□ 曝露時の対応について，施設内の取り決めは文書化されていますか
□ 曝露時に直ちに取るべき対応に必要な物品は常備していますか
□ 曝露時の対応方法を理解していますか

引用文献

1）一般社団法人日本がん看護学会，公益社団法人日本臨床腫瘍学会，一般社団法人日本臨床腫瘍薬学会（編）：V 職員が HD に汚染した時．がん薬物療法における職業性曝露対策ガイドライン 2019 年版．p.102，金原出版，2019.
2）日本病院薬剤師会（監），遠藤一司，濱敏弘，加藤裕久，米村雅人，中山季昭（編著）：4．汚染時の処置．抗悪性腫瘍薬の院内取扱い指針 抗がん薬調製マニュアル 第 4 版．p.7，じほう，2019.

（平井 和恵）

M 在宅における曝露対策

経口抗がん薬の開発によってHDの内服や，FOLFOX療法やFOLFIRI療法といったインフューザーポンプを用いて行う在宅での持続注射などの増加に伴い，在宅での曝露対策も必要とされてきている。患者やケア提供者が適切な対策をとることができるような指導が必要である。

1 インフューザーポンプの管理

インフューザーポンプを使用し，在宅でHDを投与する患者のケアを実施する場合の手順・注意事項は以下のとおりである。

手順

① 事前に手袋やジッパー付きプラスチックバッグを準備しておく。

② HD投与中はインフューザーポンプが破損しないように，取り扱いに注意する。

＊万が一，インフューザーポンプのバルーンが破損してしまった場合

⇨ すみやかに医療従事者に連絡すること，ならびに，HDに直接触れないように注意するよう指導する。

③ インフューザーポンプのルートとヒューバー針の接続部は，なるべくはずさないようにする。

④ 抜針時は，手袋を装着してすみやかに抜針し，ジッパー付きプラスチックバッグに入れて，医療機関に持参するように指導する。

＊一般ごみに廃棄しないように説明する

⑤ 使用した手袋は使い捨てにし，再利用しないようにする。

⑥ 最後に石けんと流水を用いて手洗いをする。

2 内服管理（第2章E 図2-7 ➡p.115）

■ **自宅における薬の管理**

- 経口薬の場合，自宅では子どもやペットの手の届かない場所に，家族の薬とは別に保管する。
- 穴が開いたり破損しないように注意し，湿度や気温の高い場所には保管しないようにする。
- 薬袋や薬箱には，HDの種類や量がわかるように記載しておく。

■ **内服方法**

- 患者が自分で内服するように促し，かつ薬に直接触れないように指導する。
- 患者以外のケア提供者の介助が必要な場合，介助者は手袋を使用する。
- 使用した手袋は，使い捨てにし，再利用しないようにする。
- 最後に石けんと流水を用いて手洗いをする。
- 経口HDが中止・変更となった場合，未使用のHD経口薬は病院に返却する。

内服時の注意点

- 薬剤は砕かないようにし，飲みにくい場合は，医療者に相談するように指導する。

3 排泄時の注意（第2章E 図2-8 ➡p.116）

■ **トイレ**

- 自宅での排泄時は，周囲への飛散を最小限にするように注意を促す。
- 男女とも洋式便器を使用し，可能であれば，排尿時は男性も座位で行うようにする。
- 水洗便器の蓋を閉めてから水を流し，水量や水圧が不十分な場合は，2回流すように指導する。

■ **ストーマケア**

- ストーマケアの際は，一重手袋を装着し，排泄物が飛散しないように注意する。
- ストーマパウチはワンピース型のものを使い捨てにし，再利用しない。
- ストーマケアの後は，石けんと流水を用いて手洗いをする。

＊家族などのケア提供者が実施する場合も同様に行う

4 洗濯物の取り扱い（第２章E 図2-8 ➡p.116）

- 患者の通常のリネン類は，特別な取り扱いの必要はない。
  ＊ HDがこぼれたり，便や尿，吐物などの排泄物により汚染された場合
  ⇨ 他の洗濯物とは別にして２度洗いするように，患者や家族へ説明する。
  １回目は他の洗濯物とは区別し，予洗いした後に，２回目は通常の洗濯を行う。

5 その他

- HD投与中の性交渉については，催奇形性の観点から避妊することが推奨されており，それが曝露対策につながるため，患者に避妊するよう指導する。
- 子どもを抱っこする，パートナーと手をつなぐなどのスキンシップを制限する必要はない。

参考文献

1）Polovich M, Olsen M, LeFebvre K：Chemotherapy and Biotherapy Guidelines and Recommendations for Practice, 4 th ed. Oncology Nursing Society, 2014.
2）一般社団法人日本がん看護学会，公益社団法人日本臨床腫瘍学会，一般社団法人日本臨床腫瘍薬学会（編）：がん薬物療法における職業性曝露対策ガイドライン 2019年版．金原出版，2019.

（飯野 京子，市川 智里）

N 曝露のモニタリング

HDを取り扱う作業環境や取り扱い者が実際どのくらい曝露しているのか，特殊な調査によりモニタリングすることができる。これにより現状を把握したり，汚染が確認された場合は改善策の検討と実施を行うことで，対策後の評価をすることができる。

モニタリングは，調査対象により環境モニタリングと生物学的モニタリングに大別できる。

1 ›› 環境モニタリング

抗がん薬の汚染の可能性がある場所（第1章F「職業性曝露の経路・機会とその対策」➡ p.38）やPPEの表面，および空気中からサンプルを採取し，抗がん薬による汚染を測定する。

2 ›› 生物学的モニタリング

曝露を受けた可能性のある人の体液に含まれる特定薬物またはその代謝物質を測定する。

3 ›› 環境の評価指標

環境の評価指標として，医療安全全国共同行動10の行動目標（2015年）の中で，「最もリスクが高いと想定される場所を想定し，1か所以上の環境曝露の調査を実施し，曝露の指標として40 cm×40 cm以上のエリアの拭き取り調査の結果が5-FUもしくはシクロホスファミド（CPA）として1 ng/cm^{2}以下であること，もしくは事前に同様の調査を実施した環境が改善されていること」[1)]と示された。

曝露モニタリングの種類と方法，現在わが国で調査を行っている会社については表2-15のとおりである。対象薬剤，測定方法や測定場所がパッケージ化された環境モニタリング調査が上市されており，現状の確認や定期的な評価等に活用できる（表2-16）。

表 2-15 曝露のモニタリングの種類と方法

<table>
<tr><th rowspan="2" colspan="2"></th><th rowspan="2" colspan="2">調査方法</th><th colspan="3">調査を行う会社</th></tr>
<tr><th>シオノギファーマ(株)</th><th>(株)コベルコ科研</th><th>東芝ナノアナリシス(株)</th></tr>
<tr><td rowspan="4">環境モニタリング</td><td rowspan="3">表面汚染</td><td>ワイプ法</td><td>・対象箇所をワイプで拭き取り，HDの残留量を算出する*
・その場所の過去の汚染の総蓄積量が測定される
・輸液バッグ，靴底，便器なども調査できる</td><td>○</td><td>○</td><td>○**</td></tr>
<tr><td>クーポン法</td><td>・対象箇所に一定期間クーポンを貼り，HDの残留量を算出する*
・貼付時点をゼロとして，調査期間を自由に設定できる
・10 cm四方〜50 cm四方まで測定できる</td><td>○
(サンプリングシート)</td><td></td><td>○
(SUS板)</td></tr>
<tr><td>抽出法
(手袋，ガウン，腕カバー)</td><td>・調製時や投与時に使用した手袋，ガウン，腕カバー表面に付着したHDの残留量を算出する*</td><td>○</td><td>○</td><td>○</td></tr>
<tr><td>空気中濃度</td><td>気中濃度サンプリング</td><td>・安全キャビネット内に浮遊する粒子状物質をサンプラで吸引捕集し，HDの濃度を測定する*</td><td>○</td><td>○</td><td>○</td></tr>
<tr><td colspan="2">生物学的モニタリング</td><td>尿中 / 唾液中CPA濃度測定</td><td>・取り扱い者の尿 / 唾液サンプルから，CPA濃度を測定する*</td><td>○</td><td></td><td></td></tr>
</table>

* 液体クロマトグラフ タンデム型質量分析計 (LC/MS/MS) で定量。
** 治具を用い，一定の圧で拭き取ることができる。

表 2-16 抗がん薬曝露調査基本パック (シオノギファーマ株式会社)

対象薬剤：CPA (シクロホスファミド)，5-FU (フルオロウラシル)　＊1または2薬剤

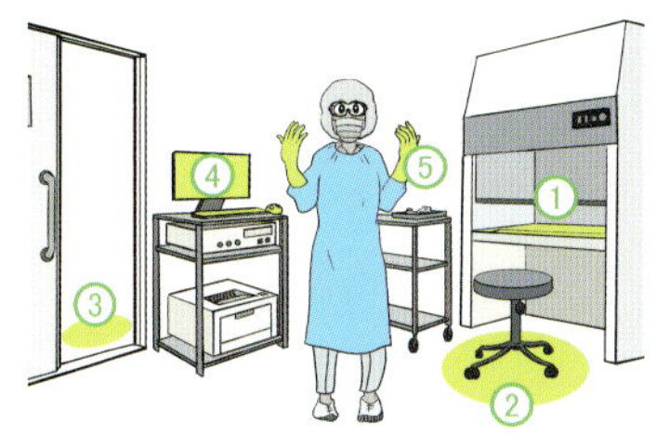

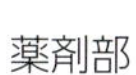

薬剤部

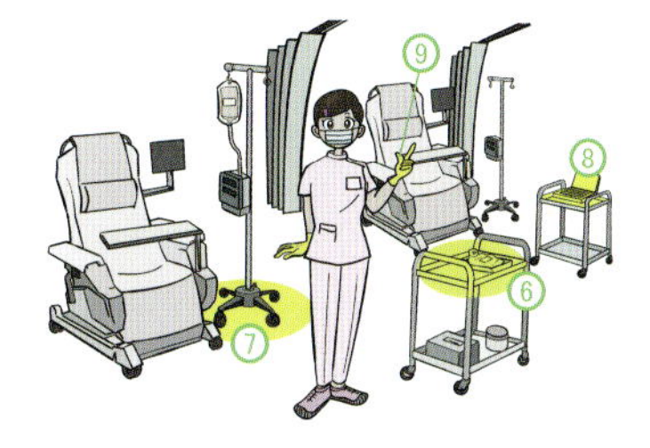

外来化学療法室

薬剤部

測定法	調査箇所
SACシート (25 × 50 cm)	① BSC作業面 ②当該BSCの床面 ③出入り口付近の床
拭き取り法	④ PC周辺 (画面＋マウス＋キーボード)
手袋抽出法	⑤手袋：最大2組

外来化学療法室

測定法	調査箇所
SACシート (25 × 50 cm)	⑥準備台の作業面 ⑦点滴ポール下の床
拭き取り法	⑧ PC周辺 (画面＋マウス＋キーボード)
手袋抽出法	⑨手袋：最大2組

SACシート：サンプリングシート　BSC (biological safety cabinet)：安全キャビネット
〔イラスト提供：シオノギファーマ株式会社：抗がん薬曝露調査基本パック.
http://www.shionogi-ph.co.jp/introduction/analysis/environment/pack/doc/basic_pack.pdf(2020年1月27日アクセス)〕

文献

引用文献

1）一般社団法人医療安全全国共同行動：医療安全実践ハンドブック．p.314, 2015.

参考文献

1）一般社団法人日本がん看護学会，公益社団法人日本臨床腫瘍学会，一般社団法人日本臨床腫瘍薬学会（編）：VI．メディカルサーベイランス．がん薬物療法における職業性曝露対策ガイドライン 2019 年版．pp.103-105，金原出版，2019.

（平井 和恵）

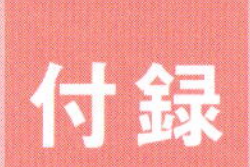

付録 がん薬物療法の調製時および投与管理時の曝露対策一覧

調製・投与管理の前に		ヒエラルキーコントロールの段階	注意点
1	曝露対策の指針・手順が文書化されている	4	
2	実技を含む教育，評価を受けている	4	

注射薬の調製時の曝露対策		ヒエラルキーコントロールの段階	注意点
1	薬の調製時に安全キャビネットを使用する	3	
2	薬の調製時に閉鎖式薬物移送システム（CSTD）を使用する	3	
3	薬の調製時にルアーロック式のシリンジを使用する	3	
4	薬を外装から取り出す際に手袋を装着する	5	
5	調製時はがん薬物療法用の特別な手袋を二重に装着する	5	
6	調製時は後ろ開きの袖がしぼんでいる低浸透性のガウンを装着する	5	
7	調製時は眼・顔面防護具を装着する	5	
8	作業用シートはシフトごとに交換する	4	
9	実際の投与に必要な量に最も近い容量のバイアルを選択する	4	
10	バイアル内圧を高めないように注意して調製する	4	
11	バイアル薬液の穿刺部からの漏れ防止に注意して調製する	4	
12	アンプル開封時の薬液の飛び散り，薬液漏れに注意する	4	
13	調製に使用した物品の廃棄にはジッパー付きプラスチックバッグに入れてから専用の廃棄容器に入れる	4	
14	調製薬の保管は，できる限り専用スペースを設定し，その旨を表示し作業者の注意を喚起する（地震対策のために固定も考慮することが望ましい）	4	
15	作業終了時は，PPE を適切な手順で脱ぎ，流水と石けんでよく手を洗う	4	アルコールベースの速乾性手指消毒はHD を揮発させる可能性があるため，HD 取り扱い時は使用しない
16	1 日の作業終了時に安全キャビネットを清掃する	3	

静脈内投与管理時の曝露対策		ヒエラルキーコントロールの段階	注意点
1	投与管理のルートに閉鎖式薬物移送システム（CSTD）を使用する	3	
2	投与管理のルートはルアーロック式のものを使用する	3	
3	点滴交換などの作業はすべて目の高さよりも低い位置で実施する	4	
4	裏がプラスチック製の吸収性パッドを注射部位の下に使用する	4	
5	調製済み輸液バッグの運搬時は手袋，マスクを装着する	5	

（続く）

6	投与管理時はがん薬物療法用の特別な手袋を二重に装着する	5	
7	投与管理時は後ろ開きの袖がしぼんでいる低浸透性のガウンを装着する	5	
8	薬がこぼれた場合の処理用に特殊なセット（スピルキット）を準備する	4	
9	ビン針の輸液バッグへの刺入・プライミング・交換時（CSTDを使用する場合）		
9-1	HDの調製前に投与用CSTDを接続する	3，4	
9-2	HDの調製前に投与用CSTDを用いて，それぞれの特徴に合わせたプライミング・交換を行う	3，4	
10	ビン針の輸液バッグへの刺入・プライミング・交換時（CSTDを使用しない場合） 以下のa, bのいずれかで実施		
10-a-1	a) あらかじめプライミングを行う方法 HDを調製する前の輸液バッグにビン針を刺入し，プライミングを行った後に調製する	4	
10-a-2	HD輸液バッグ側の輸液チューブを側管としてメインルートに接続する	4	
10-b-1	b) バックプライミングを行う方法 HDを調製する前の輸液バッグにビン針を刺入し，プライミングを行わずに調製する	4	バックプライミング可能な製品を選択
10-b-2	HD輸液バッグ側の輸液チューブを側管から接続し，ベッドサイドでバックプライミングにて薬液を満たす	4	
10-a, b共通	あらかじめ複数のルアーロックの接続部を準備しておき，終了した輸液チューブは，外さずに他の接続部より投与を行う やむを得ず，側管から外す場合は，バックプライミングを行い，輸液チューブ内のHDをウォッシュアウトする．そのうえで，輸液バッグの輸液チューブごと接続を外す	3，4	
11	作業終了時は，PPEを適切な手順で脱ぎ，流水と石けんでよく手を洗う	4，5	アルコールベースの速乾性手指消毒はHDを揮発させる可能性があるため，HD取り扱い時は使用しない
12	薬の投与終了後は輸液バッグと輸液セットはジッパー付きプラスチックバッグに入れて一体のまま廃棄する	4	

内服薬の調剤・投与管理時の曝露対策		**ヒエラルキーコントロールの段階**	**注意点**
1	錠剤の破砕，粉砕，液体との混合は安全キャビネット内で実施する	3	
2	患者が薬に触れずに自分で内服できるように指導する	4	
3	錠剤・カプセル剤の内服介助時は手袋を装着する	5	
4	散剤の内服介助時は，二重手袋，ガウン，眼・顔面防護具，呼吸器防護具を装着する	5	

ヒエラルキーコントロールの段階
1　物理的に危険を排除（elimination）
2　危険の置換（substitution）
3　危険から人々を隔離（engineering controls）
4　組織管理的コントロール（administrative controls）
5　個人防護具（personal protective equipement; PPE）

（第2章A「ヒエラルキーコントロールの考え方」➡49ページ）

（飯野 京子，市川 智里）

索引

欧文

和文

あ・い

う・え・お

か

索引